JN034491

総合判例研究叢書

民事訴訟法（7）

共同訴訟……………………………小　山　昇

有　斐　閣

民事訴訟法・編集委員

兼子　一

中田淳一

序

フランスにおいて、自由法学の名とともに判例の研究が異常な発達を遂げているのは、その民法典が百五十余年の齢を重ねたからだといわれている。それに比較すると、わが国の諸法典は、まだ若い。最も古いものでも、六、七十年の年月を経たに過ぎない。しかし、わが国の諸法典は、いずれも、近代的法制を全く知らなかつたところに輸入されたものである。そのことを思えば、この六十年の間に極めて重要な判例の変遷があつたであろうことは、容易に想像がつく。事実、わが国の諸法典は、それに関連する判例の研究でこれを補充しなければ、その正確な意味を理解し得ないようになつている。

判例が法源であるかどうかの理論については、今日なお議論の余地があろう。しかし、実際問題として、多くの条項が判例によつてその具体的な意義を明らかにされているばかりでなく、判例によつて特殊の制度が創造されている例も、決して少なくはない。判例研究の重要なことについては、何人も異議のないことであろう。

判例の創造した特殊の制度の内容を明らかにするためにはもちろんのこと、判例によつて明らかにされた条項の意義を探るためにも、判例の総合的な研究が必要である。同一の事項についてのすべての判決を探り、取り扱われた事実の微妙な差異に注意しながら、総合的・発展的に研究するのでなければ、判例の研究は、決して終局の目的を達することはできない。そしてそれには、時間をかけた克明な努力を必要とする。

幸なことには、わが国でも、十数年来、そうした研究の必要が感じられ、優れた成果も少なくないようになつた。いまや、この成果を集め、足らざるを補ない、欠けたるを充たし、全分野にわたる研究を完成すべき時期に際会している。

かようにして、われわれは、全国の学者を動員し、すでに優れた研究のできているものについては、その補訂を乞い、まだ研究の尽されていないものについては、新たに適任者にお願いして、ここに「総合判例研究叢書」を編むことにした。第一回に発表したものは、各法域に亘る重要な問題のうち、研究成果の比較的早くでき上ると予想されるものである。これに洩れた事項でさらに重要なもののあることは、われわれもよく知つている。やがて、第二回、第三回と編集を継続して、完全な総合判例法の完成を期するつもりである。ここに、編集に当つての所信を述べ、協力される諸学者に深甚の謝意を表するとともに、同学の士の援助を願う次第である。

昭和三十一年五月

編集代表

小野清一郎　宮沢俊義

末川博　我妻栄

中川善之助

凡　例

一　判例の重要なものについては、判旨、事実、上告論旨等を引用し、各件毎に一連番号を附した。

二　判例年月日、巻数、頁数等を示すには、おおむね左の略号を用いた。

大判大五・一一・八民録二二・二〇七七　（大審院判決録）

（大正五年十一月八日、大審院判決、大審院民事判決録二十二輯二〇七七頁）

大判大一四・四・二三刑集四・二六二　（大審院判例集）

最判昭二二・一二・一五刑集一・一・八〇　（最高裁判所判例集）

（昭和二十二年十二月十五日、最高裁判所判決、最高裁判所刑事判例集一巻一号八〇頁）

大判昭二・一二・六新聞二七九一・一五　（法律新聞）

大判昭三・九・二〇評論一八民法五七五　（法律評論）

大判昭四・五・二二裁判例三・刑法五五　（大審院裁判例）

福岡高判昭二六・一二・一四刑集四・一四・二一一四　（高等裁判所判例集）

大阪高判昭二八・七・四下級民集四・七・九七一　（下級裁判所民事裁判例集）

最判昭二八・二・二〇行政例集四・二・二三一　（行政事件裁判例集）

名古屋高判昭二五・五・八特一〇・七〇　（高等裁判所刑事判決特報）

東京高判昭三〇・一〇・二四東京高時報六・二民二四九　（東京高等裁判所判決時報）

札幌高決昭二九・七・二三高裁特報一・二・七一（高等裁判所刑事裁判特報）
前橋地決昭三〇・六・三〇労民集六・四・三八九（労働関係民事裁判例集）

その他に、例えば次のような略語を用いた。

裁判所時報＝裁　時　家庭裁判所月報＝家裁月報
判例時報＝判　時　判例タイムズ＝判　タ

目次

共同訴訟

小山昇

共同訴訟

小山　昇

はしがき

本稿の資料はいうまでもなく判例である。大審院または最高裁の判例が存する事項については事案と趣旨において重複する下級裁判所の判例を引用することをできるだけさし控えた。判例についてはその前提とする一般論と具体的事案に対する具体的結論をできるかぎり区別した。判例の示した結論と理由に対しては、その論理の構造を明らかにすること、その変遷を追跡し変遷の意味を探ること、その先例としての適用範囲を画定すること、結論から原理を帰納すること、を努力の目標にした。この目標は判例が不足であることや判例の理由が鮮明でないことなどのためにきわめて到達困難であることが明らかになつたに止まつた。力が至らなかつたことを恥かしく思う。判例が補充されその研究が誰かの手によつて続けられることが切に望まれる。本稿では紙数の都合もあつて判例の批評はこれをさし控えた。

なお、参加の結果共同訴訟になる場合は「訴訟参加」に譲つた。

本稿のために必要な判例は次のもののなかから選ばれた。大審院判例集、最高裁判所判例集（一六巻五号まで）、高等裁判所判例集（一五巻三号まで）、東京高等裁判所判決時報（一三巻八号まで）、下級裁判所民事判例集（一二巻一二号まで）、判例時報（三一九号まで）、判例タイムズ（一四巻二号（一三九号）まで）、ジュリスト（二六七号まで）、法律新聞、法律評論、判例体系。

一　共同訴訟の意義と種類

一　共同訴訟とは訴訟において数人のものが当事者の地位の一方または双方を占めている現象を指す。「蓋共同訴訟ヲ許シタル立法ノ趣旨ハ之ニ依リ訴訟手続ヲ省畧シ時日費用等ヲ節約スルノ便益アルノミナラス尚ホ各当事者ニ対スル裁判ノ牴触ヲ避クルノ利益アルコトヲ認メタルニ因ルモノ」である(大判明四一・九・二五民録一四・九一六)。

二　数人のものが当事者として訴えまたは訴えられることが必要である(これをこれから訴訟共同の必要とよぶ)場合がある。これは固有の必要的共同訴訟とよばれる。ところで、訴訟共同の必要がない場合には、数人のものが原告となりまたはこれを被告として訴訟をすることは許されないか。五九条の要件のもとで許される。ところで、五九条の要件が満たされて数人を当事者とする共同訴訟がある場合に、判決はその数人に対して一様でなければならないか。一様であることを必要とする場合(これをこれから合一確定の必要とよぶ)とそうでない場合とがある。後者の場合は通常共同訴訟とよばれる。

三　ところで、固有必要的共同訴訟においては訴訟共同の必要が合一確定の必要の原因である。従つて合一確定の必要という観点からは訴訟の共同を必要とする共同訴訟の場合と訴訟の共同は必要としないが合一確定を必要とする共同訴訟の場合とは同じ範疇に属せしめられることができる。合一確定の必要は手続の一律な進行を要求するから、右両種の共同訴訟は同様な規律を受ける必要があり、したがつて同じ範疇に属せしめられることが必要でもある。かくてこの両者が、合一確定共同訴訟とよばれる。こうして法典の上では共同訴訟は二種類に分けられ、一は訴訟の目的が(旧法では「訴訟ニ係ル権利関係カ」)共同訴訟人の全員につき合一にのみ確定すべき場合であり、他はそうでない場合である。前述のように、前者は合一確定共同訴訟または必要的共同訴訟とよばれ、後者は通常共同訴訟とよばれる。

古くは、合一確定の必要がある場合には例えば原告は被告たるべきものの全体に対して訴を起さなければならないと考えられていた。しかし、書入登記取消請求訴訟についての大民刑聯判明三八・一〇・一一においてそうでない場合もあることが自覚された。

【1】登記上第三者たるXが登記上の抵当権者Yと抵当義務者AのうちYのみを被告として抹消の訴を起した。Aは登記抹消に同意したからである。宮城控訴院はYのみを被告とする訴は不適法であるとした。X上告。破棄差戻。判例変更。

YもAもXとの関係では登記義務者であるが、「登記義務者中ノ一部ハ任意上登記申請ヲ為スコトヲ承諾シ他ノ一部ノミ之ヲ為スコトヲ肯セサル場合ニ於テハ後者ノミヲ被告トシ登記申請ノ手続ヲ為スヘシトノ訴求ヲ為スコトヲ要スルモ其任意上登記申請ヲ為スコトヲ承諾シ居ル者ヲモ強ヒテ共同被告トシ義務ノ履行ヲ肯セサル登記義務者ニ対スルト同一ノ訴求ヲ為スヘキ必要ナキノミナラス法律上其必要ナラサル訴訟ヲ強要スル条理アルナシ……」（大民刑聯判明三八・一〇・一一民録一一・一四六三）。

ところで、本件については、本件のような場合に、もしAが抹消に同意しないで、そしてそれゆえにXがYとAを共同被告として訴求したならば、YAに合一にのみ確定すべき場合であろうか。時の大審院は合一確定の必要を肯定していたようにみえる。それは次に掲げる報道が示している。

「大審院民刑総部の聯合審判は去る十一日午前十時頃より同院刑事法廷に於て開かる、当日は南部同院長をはじめ総て二十七判事列席し、判事席は殆んど立錐の余地なきまでに塡充せられぬ……

今民刑総部の聯合審判を開かるるに至りたる所以を聞くに従来大審院の判例とする所に依れば必要的共同

訴訟の場合に在りては共同被告中の一人にても原告の請求を争ふものあるときは他の被告が原告の請求を認諾し又は争はざるときに於ても必要的共同訴訟は其性質上権利関係が合一に確定すべきことを必要とするを以て原告は単に共同被告中の争あるもののみに対して訴を起すことを得ざるものにして必ずその共同被告の全体に対して訴を起さざるべからざるものなりとの見解を以て始終し来れり

然れども元来訴訟上の原則よりみれば凡て訴なるものは原被両告の間に争あることを前提要件とし即ち判決は争ある私権の確定及実行に対する救済的国家機関の干渉手段に外ならず然るに前示必要的共同訴訟に関する従来の大審院判決は当事者間の法律関係が合一に確定すべき地位にあるときは原告の請求を認諾し又は争なきものに対しても強ひて之を共同被告として訴ふる必要ありとなす、これ合一に確定すべき必要あるところの権利関係と訴訟上の地位とを調和一致せしめんとするにいでたるものにして固より一面の真理なしとせざるも、斯くの如きは権利上の観念と訴訟上の観念とを混同したるの傾向なしとせず今回の民刑総部の聯合審判を開かるるに至りたるは主としてこの点に対する同院従来の判例を変更するにあるものなりといふ」(大民刑聯判明三八・一〇・一一(明三八(オ)二六七書入登記取消請求ノ件)民録一一・一四六三、新聞三一〇)。

さて、とにかく、合一確定共同訴訟は二つの種類に分けられることになつた。例えば次のような旧法時の判例がある。

【2】「民事訴訟法五〇条ニ権利関係カ合一ニノミ確定スヘキトキトアルハ……訴ヲ適法ナラシムル必要上共同シテ訴訟ヲ為ス場合ハ勿論然ラサル場合ト雖モ係争権利関係カ共同訴訟人ニ対シ別個ニ確定スルコトヲ許ササルトキヲ謂フモノ……」(大判大二・四・二四民録一九・二六八、新聞八六五)。

同旨の判例がある。後掲【3】大判大六・七・六(民録二三・一〇一一)、後掲【61】大判大六・一一・一〇(民録二三・二〇七〇)、後掲【4】大判大八・六・三(民録二五・九五五)、後掲【67】大判大八・一二・二六(民録二五・二四一九)。

この二種のうち前者が固有必要的共同訴訟とよばれるものであり、後者は合一確定の必要はあるが訴訟共同の必要はないという意味で類似必要的共同訴訟とよばれる。

そこで、いかなる場合に訴訟共同の必要があるか、いかなる場合に合一確定の必要があるか、いかなる場合に訴訟共同の必要がないにもかかわらず共同訴訟が許されるか、を判決に現われたところによつてみることにする。

二 共同訴訟の要件

一 必要的共同訴訟の要件

(一) 判例の概観

(1) 所有権確認請求訴訟　所有権確認請求訴訟が共同訴訟になる場合は数人が原告として同一物につき所有権の確認を訴求する場合または数人を被告として所有権の確認を訴求する場合である。前者の場合は共有または合有の場合として別にとり扱うことにする。一人が数人を被告として所有権の確認を訴求する場合には所有権の対世的な性質は訴訟における合一確定を必要とするであろうか。この点についての判例を追跡してみよう。

(イ) 相互の間に実体法上の共同関係のない数人を被告とする所有権確認請求訴訟

【3】 立木の帰属を訴訟で争つているY1とY2とを被告として立木の所有権の確認をXが主参加の方法で訴求した。

「……原告カ数人ノ被告ニ対シ所有権ノ確認ヲ求ムル訴訟ノ如キハ民訴法五〇条ニ規定スル必要的共同訴訟ニ属スト云フヘシ蓋シ数人ノ被告ニ対シテ訴ヘタル所有権ノ確認ハ其性質合一ニノミ確定スルコトヲ要ス

レハナリ故ニ主参加ノ訴カ本訴訟ノ当事者双方ニ対シ所有権ノ確認ヲ求ムルニ在ルトキハ其訴訟ハ民訴法第五〇条ニ規定セル必要的共同訴訟ニ属スルモノト云フヘシ……」Y_1の控訴による控訴審で控訴をしなかったY_2を呼び出さなかったのは違法である（大判大六・七・六民録二三・一〇二一、新聞一三一六）。

なるほど、所有権は実体法上は対世的効力を有する。しかし、だからといって、所有権の存否の訴訟法上の確定が相対的であってはならないであろうか。時の大審院は存在する所有権の実体法上の性質を存否が争われる所有権の訴訟法上の確定の段階において反映させるという論理的には飛躍したことを行なったのである（権利保護請求権説の悪影響と考えるのは妄想であろうか）。この傾向はしばらくつづく。

【4】　XがY_1に贈与した物をY_1がY_2に売渡した後にXが贈与契約の無効を理由としてY_1Y_2に対し物の所有権の確認を訴求した。民訴五〇条の場合とは「必スシモ共同訴訟人ノ一人ニ生シタル判決ノ効力カ法律上他ノ共同訴訟人ニ対シ当然其効力ヲ及ホスヘキ場合ニノミ限ルヘキモノニアラス然ラサル場合ト雖モ係争権利関係カ其性質上各共同訴訟人ニ対シ同一趣旨ノ判決ヲ為スニアラサレハ訴訟ノ目的ヲ達スルコトヲ得サル場合ヲモ包含スルモノナルコトハ本院従来ノ判例ノ示ス所ナリ……本訴ノ目的ハ贈与ノ取消ヲ原因トシテ受贈者及転得者タル被上告人等ニ対シ贈与契約ノ無効及上告人ノ所有権ノ確認ヲ求ムルニ在リテ被上告人両名ニ対シ同一趣旨ノ判決ヲ為スニ非サレハ訴訟ノ目的ヲ達スルコトヲ得サルモノナルヲ以テ本件ハ所謂権利関係カ合一ニノミ確定スヘキ場合ニ該当ス」る（大判大八・六・三民録二五・九五五）。

ここでいう「訴訟ノ目的」とはなにを意味するのであろうか。おそらく原告の実際上の主観的目的をいうのであろう。しかし、それならば、XがY_1とY_2に対し、それぞれ別訴で請求した場合に、XY_1間の判決とXY_2間の判決が矛盾することを認めないのだろうか。それとも、別訴による場合は別として、いやしくも$Y_1$$Y_2$を共同被告とした以上は合一確定の必要があるというのであろうか。しかし、それは、法律上必要なのだろうか、XY_1間の所有権移転が虚偽の意思表示により無効でもY_2が善意の第三者である場合には、実体法上も相対的な関係であるのではないか。実体法上の論理からいえば合一確定の必要があるというに止まるのか、事実上それが望ましいというに止まるのか。

こうして現行法になつてからも、XからY_1に売られ(移転登記を経)Y_2のために抵当権が設定され(設定登記を経)た不動産につきXが右売買が印鑑盗用による不法の売買であることを理由として$Y_1$$Y_2$に対し所有権の確認を訴求する場合に大判昭一二・六・四(民集一六・一二・七四五)は、「訴訟の目的たる権利関係の性質上相手方双方に対し同一判決を為すに非ざれば訴訟の目的を達することを得ず」という理由で合一確定の必要を認めた(この判例は、前掲【3】大判大六・七・六と【4】大判大八・六・三とを引用している)。同じように、Y_1がY_2に売却した立木につきXが$Y_1$$Y_2$を被告として所有権の確認を訴求した場合に大判昭一三・五・一八(法学七・一二・一〇七)は右の判決を引用して合一確定の必要を認めている。

しかし、同じ型の事件について最高裁は合一確定の必要を否定し、大判昭一二・六・四を採用しない旨を明言した。

【5】 Xは、Xの所有不動産につき売買名義で所有権移転登記を得たY_1と、Y_1から根抵当権設定登記を得たY_2銀行を共同被告として、売買の不存在を理由に、所有権の確認を訴求した。

「本件所有権確認の請求は、法律上第一審被告Y_1及びY_2銀行に対しそれぞれ独立したものであつて、訴訟の目的が共同訴訟人の全員につき合一にのみ確定する必要のある場合に該当するものとは認められない。それ故、第一審共同訴訟人Y_1が控訴をしなかつた以上、原審において同人を当事者として口頭弁論に関与せし

めなかったことは何ら違法ではなく、……。なお、所論㈠の引用の判例は当裁判所の採用しないところであり」（最判昭三三・一・三〇集一二・一・一〇三）。

同旨の判決は、質権の確認に関し、すでにあった、後掲【142】大判昭八・一〇・一三。

右にいう「法律上」それぞれ独立したものというのは、いわば「実体法上及び訴訟法上」であろう。所有権の実体法上の対世的性質は、実体法においても、制約されることがあり、その存否の争の解決の訴訟法上の相対性を許さないものではないことが意識されたのである。

後掲【142】昭八・一〇・一三では、「合一ニ確定セサルコトカ偶々以テ法律上必然ノ結果ナル場合無キニ非ス」ということがすでに自覚されている。

(ロ)　相互の間に実体法上の共同関係がある数人を被告とする所有権確認請求訴訟

【6】　登記簿上数人の共有となっている山林の所有権の確認をXが右数人のうちのY_1とY_2を被告として訴求した。「本訴ハ当該地域ニ対シ被上告人カ所有権ヲ有スルコトノ確認判決ヲ求メントスルモノナリ故ニ被上告人敗訴ノ結果ハ単ニ被上告人ハ其ノ所有権者ニ非ストノコトカ確定スルニ過キス上告人ニ依リテ其ノ所有者ナリト主張セラルル人々ノ所有権カ此ノ敗訴ノ為ニ毫モ確定セラルルトコロ無シ之ニ反シ被上告人カ勝訴シタルトキハ此ノ地域カ被上告人以外何人カノ単独若ハ共同ノ所有ニ属ストノコトハ本訴当事者間ニ於テハマタ之ヲ主張スルヲ得サルニ至ルト雖モ這ハ物権ノ排他性ヨリ生スル判決ノ反射効ニ外ナラス」（大判大一三・五・三一民集三・二六〇）。

この判決は所有権確認訴訟の判決の既判力の内容を示したものであるが、本稿が問題とする点についての趣旨は登記簿上の共有者全員を共同被告にする必要を否定したものと理解される。しかし、合一確定の必要については言及していない。

共有者を被告とする所有権確認訴訟に共有者が応訴することは保存行為であるという考え方がある。右判決はこの考え方に立つたのであろうか。原告勝訴の場合、原告の所有権を敗訴の被告は争いえなくなることを、右判決は認めているが、敗訴の被告と共有であることを主張する者はいぜんとして原告の所有権を争いうるとまでは、はつきり、いつていない。保存行為という考え方に立つ場合、共有者の一人の受けた判決の効力が他の共有者に及ぶかという問題が残る。

むしろ、右判決は、所有権確認の訴の被告は、自らの単独所有を主張しようと、共有を主張しようと、いわば、それは反訴的主張であつて、問題はそこではなく、原告の所有権の存否が問題であることを指摘したのではなかろうか。そうだとするならば、合一確定の必要も否定されるはずである。

ところが、合一の確定の必要については、次の判例がある。

【7】「原告ハ本件土地ヲ時効ニ因リテ取得シタルヲ以テ其取得当時ノ所有者ハ取得者トノ関係ニ於テ伝来的取得ノ当事者タル地位ニ在ルモノナレハ右取得当時ノ共有者タリシ被告等ニ対シ其確認ヲ求ムト謂フニ在レハ本件訴訟ノ目的タル権利関係ハ被告等共同訴訟人ニ対シ合一ニノミ確定スルヲ要スル場合ナリト謂フヘク……」（名古屋地判昭四・一〇・三〇新聞三〇六三）。

右の判例は、しかし、合一確定の必要の根拠を示していない。だから、原告の所有権の対世的性質に根拠があるのか、被告らの所有権の共有であることに根拠があるのか、明らかではない。一人がその所有権の確認を数人に対して訴求する場合、その数人の間に目的物に関して実体法上の関係（例えば、数人の間

（にすでにその目的物について共有の関係がある）ないしは訴訟法上の関係（例えば、その数人がすでにその目的物について所有権の確認の訴の当事者になっている）があるかどうかということによつて、訴訟が必要的共同訴訟になつたり、通常共同訴訟になつたりするものであろうか。

家屋台帳上数人の共有名義になつている家屋の所有権の確認が右名義人等を被告として訴求された事案につき最判昭三四・七・三（民集一三・七・八九八）は合一確定の必要を否定した。

【8】「本訴は、被上告人が、同人所有の家屋につき、家屋台帳上の共有名義人である上告人ほか一審共同被告四名を相手方として提起した所有権確認の訴であることは記録上明らかであつて、被上告人の上告人等に対する各請求はそれぞれ独立し、其の間「訴訟ノ目的カ共同訴訟人ノ全員ニ付合一ニノミ確定スヘキ」法律上の必要の存する場合というを得ないから、いわゆる必要的共同訴訟に属しないことは明らかである。」（最判昭三四・七・三民集一三・七・八九八）。

ここでいう「法律上の必要」は、実体法上の必要なのか、それとも、訴訟法上の必要なのか。おそらく両者相まつてであろう。いずれにせよ、合一確定の事実上の必要ということはこの判決によつて反射的に排斥されたということができよう。これを要するに、この判決と前掲【5】（最判昭三三・一・三〇）によつて、さきの疑問は判例の上では解決されたということができよう。

(2)　抵当権順位確認訴訟　次の判例がある。

【9】「抵当権者カ同一ノ抵当物ニ対シ他ノ抵当権者ト順位ヲ争フ場合ニハ抵当物所有者タル債務者ヲ差措キ独リ他ノ抵当権者ノミニ対シテ其請求ヲ為スヘキモノニアラス必ス債務者ト他ノ抵当権者トニ対シテ同一ニ其関係ヲ確定セサルヘカラス若シ然ラスシテ債務者ト他ノ抵当権者トニ対シテ各別ニ請求スルヲ得ヘキモノトセハ債務者ニ対シテハ一番抵当権者トナリ他ノ抵当権者ニ対シテハ二番抵当ノ順位ニ立タサルヲ得サ

ルカ如キ事理ニ適セサル結果ニ帰スルナキヲ必スヘカラス……」（大判明三七・四・二〇民録一〇・四六九）。

この判決は事案の場合に訴訟共同の必要を認めたと理解される（抵当債務者を差措いて請求してはならないといつている）。しかし、それならば、抵当債務者をも被告とするだけでは足りず、他のすべての抵当権者を、少なくとも原告の順位を争う者のすべてを被告としなければならないのではあるまいか。とにかく、この場合でも、訴訟法上の相対的解決を全く許せないものか、なお検討の余地があろう。

(3)　登記に関する訴訟　登記に関する訴訟は登記を請求する（記入）訴訟と登記の抹消を請求する（抹消）訴訟とに分けられることができる。登記を請求する訴訟については登記権利者または登記義務者が権利の目的物につき共有関係にある数人である場合が次のような意味で問題になる。すなわち、右数人が共有関係にあるということは右数人が訴を起す場合にまたは右数人に対して訴が起される場合に右数人の訴訟共同を必要とするか、それからまた、右数人の全部または一部が訴訟を共同にした場合に判決の右数人に対する合一確定を必要とするか。登記の抹消をするためには登記権利者と登記義務者とが共同して申請することが必要であるが（不登二六）、本稿では、登記権利者（＝抹消請求権者）が数人いる場合と登記義務者（＝抹消義務者）が数人いる場合とがとりあげられるに値する。前者については、数人が抹消を要求された登記によつて害されていた権利について共有関係にある場合が、このことがその数人の訴訟共同を（共同の訴提起を）またはその数人に対する合一確定を必要とするかという意味で、問題にされることができる。後者については次の三つが問題とされることができる。(1)その登記の抹消が要求される権利について数人が共有関係にある場合に、このことはその数人の訴訟共同（数人全員に対する訴の提起）をまたはその数人に対する合一確定を必要とするか。(2) 抹消を要求されている登記を申請する際における登記権利者及び登記義務者の双方が抹消請求訴訟において共同被告とされることを必要とするか、共同被告とされた場合には、彼等について判決の合一確定を必要とするか（別な言葉でいえば、右登記義務者はもはや登記簿上の登記名義人ではないのだが、抹消登記の登記義務者でもあるのか）。(3) 更正登記の場合に登記を請求される登記名義人が数人いる場合に彼等は共同被告とされる必要があるか。

（イ） 登記を訴求する原告らが登記を要求される権利（例えば、所有権移転登記請求における所有権）について共有関係にある場合。

【10】 共有者のうちの二人からその持分を譲り受けたと主張する数人のものがこれを争う他の共有者全員を被告として共有権確認を訴求し右二人を被告として権利移転登記を訴求したらしい。

「上告人ノ本訴請求中共有権ノ確認ヲ求ムル部分カ権利関係ノ合一ニノミ確定スヘキモノナルコトハ……多言ヲ要セス而シテ権利移転ノ登記手続ヲ求ムル部分ハ被上告人中ノ二名ノミニ対スルモノナルモ該二名ニ上告人ノ請求スル如キ登記義務アルヤ否ヤハ専ラ他ノ部分即チ共有権確認請求ノ当否ニ繋リ其裁判ハ一途ニ出テサル可カラサルカ故ニ本件ニ於テハ此ノ部分モ亦権利関係ノ合一ニノミ確定スヘキモノトス……」（大判大二・七・一一民録一九・六六二）。

この判決は、合一確定の必要を認めているが、その根拠が明らかでない。それは、おそらくこうであろう（共有権確認訴訟については後述）。

第三者であつた原告等が持分を譲り受けて共有者になつた。ある人が共有者の一員であるか否かは他の共有者全員少なくともこれを争う者全員を共同被告として共有権そのものの確認を求めるという方法によつてのみ明らかにされる（後掲三一頁①参照）。そしてこの問題は持分移転登記の先決問題である。だから、両問題について訴訟が併合して係属するかぎり、先決問題の解決が論理的に先行し、先決問題が合一に確定すべきである以上、後行問題も合一に確定すべきである。

ところで、この場合、共有権（共有であること）の確認は先決問題であろうか。また、先決問題であるとしても、その「先決性」が直ちに、先決問題の「合一確定の必要性」を後行問題の性質にもしてしまうものであろうか。

【11】共有者の一部である数人が共有物の表面上の名義人に対し各自が有する一定の持分における共有権の確認と登記とを訴求した。

このような「訴ニ在リテハ其判決ハ単ニ当事者間ニノミ効力ヲ有スルニ止マルモノナルヲ以テ訴ニ干与セサル他ノ共有者ト訴ノ当事者トノ間ニ於テ権利関係カ合一ニ確定セラルヘキモノト云フヲ得ス故ニ各共有者ノ全員カ訴ニ参加スルコトヲ要セス」（大判大三・二・一六民録二〇・五・七五）。

合一確定の必要を否定した根拠は、一人に対する判決の効力が他の者に及ばないという訴訟法上の点に求められている。しかし、そのまた根拠は、事案が持分についてであることにあるのであろう。

【12】保存登記のなかつたA所有の家屋について、その相続人XYBのうちYが単独所有名義の保存登記をしたので、XがYを相手方としてXの三分の一の持分権を反映させる更正登記を訴求した事案について、合一確定の必要を否定した（大阪地判昭三〇・一〇・二六下級民集六・一〇・二二三九）（なお、更正登記については、後述（へ）をみよ）。

【13】二三名の共有者のうち二二名が共同で他の一名の持分を買受けその二二名のうち一九名が共同原告となつて売主に対し登記手続を訴求した。原審は保存行為であることを理由として原告を勝たせた。原判決破棄差戻。

「……蓋、売買ノ目的タル持分全部ハ共同ノ買主全員カ取得シタルモノナレハ、持分全部ノ登記手続ヲ目的トスル請求ハ他ニ特別ノ規定ナキ限リ権利者全体ノ共同行為ニ依ルニ非レハ之ヲ為スコトヲ得サルモノニシテ……」（中略）「然レトモ本訴請求ノ趣旨ハ必スシモ被上告人外三名カ上告人ヨリ買受ケタル持分全部ニ付キ登記手続ヲ請求スルニ在リト断定スルヲ得スシテ被上告人ハ各自己ノ取得シタル持分ノミニ付キ他ノ共有者ニ関係ナク其ノ取得登記ノ手続ヲ求ムルニ在ルカ如ク解シ得ラレサルニモ非ス」（大判大一一・七・一〇民集一・三八六）。

【14】七五名の土地共有者が所有権移転登記を訴求した事案について、固有の必要的共同訴訟にほかならない、といっている判例がある（札幌高判昭二六・六・二五下級民集二・七九一）。

【15】X等とYとAとが組合契約を締結しYが特許権を出資したのでX等がYを被告として特許権の共有名義への変更を訴求した事案について、共有の登録手続を求める請求は権利者全体の共同行為を必要とするという理由で、訴訟共同の必要を肯定し、もし権利者の一人が訴の提起に共同しないときはその請求を棄却すべきものである、といっている判例がある（東京区判昭八・一〇・二〇新聞三七七五・　）（なお(4)(ロ)(C)をみよ）。

共有者が共有者として登記手続を訴求する場合に、共有権そのもの（持分全部）の登記と共有持分権（各自の持分）の登記とを区別し、前者の場合に訴訟共同の必要を認め、後者の場合にはこれを認めない実益はどこにあるのだろうか。また、実体法上共有者の共同行為（登記行為）が必要であるとしても、それは、共有者相互の間のことである。共有者の相手方との関係においても共同行為（訴訟行為）が必要であるとする根拠はなんであろうか（共有者の一人の行方不明により生ずる事実上の不便をどう考えるのだろうか）。

（ロ）　登記を訴求される被告らが登記を要求される権利の目的物について共有関係にある場合。

【16】$Y_1Y_2Y_3$から$Y_1Y_2Y_3$共有の土地を買受けたXが右$Y_1Y_2Y_3$に対し所有権移転登記手続を訴求した。「本訴ハ……ヲ求ムルモノニシテ所謂必要的共同訴訟ニ属スルモノトス」（大判昭七・三・七裁判例六民五九）。

合一確定の必要を認めたわけである。訴訟共同の必要を認めたかは明らかでない。合一確定の必要の根拠は示されていない。共有者の一人に対して勝訴したに止まる場合にはXの主観的目的は達成されたとはいえないがそれが合一確定の必要の根拠になりうるだろうか。共有者は登記義務者として全員共同しなければ所有権移転登記をすることができないものだろうか。所有権の移転は共同してしなければならないとしても、その登記の移転義務は不可分債務的にとり扱うことはできないだろうか。また、各共有者が各自持分の移転登記をして結局X一人に全持分が帰してXの単独所有の登記の実質を具えるという結果は認められないだろうか。ところで、実体は共有でも、登記上の所有名義が単独である場合はどうか。

【17】　XはYAの共有に属する建物の所有権移転登記を登記上の所有名義人Yを被告として訴求した。YはYAを共同被告としない訴は不適法であると抗弁した。

「……所有権移転登記手続の請求は、登記上の現在の所有名義人を被告として、その請求を為すべきものであるところ、本件建物の登記上の現在の所有名義人がYであることは、当事者間に争のないところであるから、その登記上の現在の名義人であるYに対し、その所有権移転登記手続の請求を為して居るXの本件訴は、適法な訴であると云はなければならない」（千葉地判昭三六・六・三〇下級民集一二・六・一五二七）。

抹消さるべき登記の現在の名義人を被告とすれば足りるという考え方はすでに大民聯判明四一・三・一七（後掲【31】）にある。右判決は移転さるべき登記の現在の名義人を被告とすれば足りるという考え方を示したものとみることができよう。

ここで登記義務の共同相続とみられる場合をとりあげよう。

【18】「本件ハ亡Aカ$X_1$$X_2$両名ニ対シ負担シタル贈与ニ因ル土地所有権移転登記手続ヲ為スヘキ義務ニ付キ亡Aノ遺産相続人タル$Y_1$$Y_2$両名ニ対シ其履行ヲ求ムルモノナレハ訴訟ニ係ル権利関係ハ$Y_1$$Y_2$両名ニ付キ合一ニノミ確定スヘキモノトス」（東京控判大七・一一・一一評論七民訴三七一）。

【19】被相続人Aから生前に土地の贈与を受けた相続人の一人Yがその土地をXに売却した。XはYに対し所有権移転登記を訴求した。この事案について、Y以外の相続人は右土地の所有権を相続せずAのYに対する登記移転義務を相続したと判断して「しかも共同相続人が承継した前記登記義務は不可分の関係において各自登記義務を負担するから登記権利者たるXは登記義務者たるYに対し右登記義務の全部の履行を求め得る筋合であつてYに対し登記請求権を有するXはYに代位してその余の相続人に対しYに対する贈与による所有権移転登記を求めることができる」。よつて、本件を必要的共同訴訟として訴を却下した原判決は失当（広島高岡山支部判昭三〇・一一・二五下級民集六・一一・二四六八）。

【20】七人の共同相続人のうち、X_1が他の全員を被告として甲地について、X_2が他の全員を被告として乙地について、それぞれ所有権確認及び所有権移転登記請求を、いずれも被相続人からその生前に譲受けたことを理由として、したところ、裁判所はこの二つの訴を併合して審理した事案につき、右の二つの訴訟をともに合一確定共同訴訟であるといつている（東京高判昭三四・二・二一判決時報一〇・二・二八）。

下級裁判所の判例は一貫せずいろいろと迷つているということがみられる。最高裁は、登記義務が共同に相続された場合について不可分債務と考えることを明らかにした。

【21】B（勝義）の父Yが親権者としてBの生前にB所有の宅地をXに売却したが登記はしなかつた。その約五年後にBは死亡した。Bの相続人はYだけであつた。さらに五年あまり経過して、XはYに対し右売買を原因とする所有権移転登記を訴求した。Xの訴提起後にYは右宅地につきYとその妻A（戸籍簿上Bの母、しかし偽であることが証明された）を相続による所有者とする所有権保存登記をした。第一審請求棄却。

X控訴。原判決取消請求認容。控訴審である福岡高裁宮崎支部は、Aは真の相続人でなく、他に持分権取得の立証がないから、A名義の登記は真実の権利関係に符合しない疑が存するので、登記があるからといつて、Y一人を相手方とする訴は当事者適格を誤つた不適法のものとなるわけではない、とした。Y上告、上告棄却。

「本件は昭和一八年一二月三〇日上告人の二男勝義から本件宅地をその地上建物と共に買い受けた被上告人が、同二四年一月一日右勝義の死亡による相続によつて右勝義の売買契約上の債務を承継した上告人に対し、右契約にもとづき本件宅地の所有権移転の登記を請求する訴訟であることは記録上あきらかである。すなわち、被上告人の本訴において請求するところは、上告人が相続によつて承継した前記勝義の所有権移転登記義務の履行である。かくのごとき債務は、いわゆる不可分債務であるから、たとえ上告人主張のごとく、上告人の外に共同相続人が存在するとしても、被上告人は上告人一人に対して右登記義務の履行を請求し得るものであつて、所論のごとく必要的共同訴訟の関係に立つものではないのである。

であるから、原判決が、……正当であつて、上告人の外に共同相続人があるかどうかに関する原判決の判示は本件において不要の論議に過ぎず……」（最判昭三六・一二・一五民集一五・一一・二八六五）。

移転登記される権利の目的物について共有関係にあり、それゆえに、共有者全員が移転登記義務を負う場合と、移転登記される権利の目的物はすでに被相続人の処分により相手方にその権利が移転し、相続人全員はただ移転登記義務だけ負う場合とを、登記請求訴訟の場で区別し別扱いする必要ないし実益はどこにあるのであろうか。

（ハ）　抹消を要求された登記によつて害されていた権利（例えば、所有権移転登記抹消請求における移転前の所有権、抵当権設定登記抹消請求における所有権）について数人が共有関係にある場合。

【22】「本件請求ノ原因ハ原告人タル被上告人（等）カ共有ニ係ル本訴ノ不動産ニ対シ大山周造カ外五名ノモノト共有ノ名義トナリ居ルヲ奇貨トシテ共有地全部ノ六分ノ一即チ本訴ノ不動産ニ付キ……上告人庄作ニ対シ為シタル抵当権設定ノ登記ヲ抹消スルニ在リテ其請求原因ハ本訴ノ不動産ハ被上告人等ノ共有ナリトノ事実ニ基クモノニシテ本訴ノ権利関係カ被上告人全員ニ対シ合一ニノミ確定スヘキ事案タルコト明カナルヲ以テ……」（大判明四四・七・八民録一七・四六六、新聞七三二）。

右判決は、合一確定の必要を肯定しているが、訴訟共同の必要をも肯定したのかは明らかでない。

【23】不動産の六名の相続人のうち一名が右不動産を被相続人から単独で買受けたことにして所有権移転登記を終え、さらにこれに地上権を設定しその登記をした事実に基づき、他の五名のうち一名Xが地上権者Yを被告として地上権登記の抹消を訴求した。

「……共有者ノ一人ト称スルXカ共有者以外ナルYニ対シテ自己ノ共有権ヲ主張シテ其権利ノ確認ヲ求メ且Yノ為シタル不法登記ノ抹消ヲ請求スル場合ニハX単独ニテ其訴ヲ提起スルコトヲ得ヘク必スシモ他ノ共有者ト共同シテ之ヲ為スコトヲ要スルモノニ非ス」（大判大八・四・二民録二五・六一三）。

保存行為だから単独訴訟が許されるというのであろうか。それではもし共有者が数名共同で訴を提起したならば合一確定の必要はあるだろうか。

【24】「然レトモ本件ハ被上告人三名カ遺産相続ニ因リ係争不動産ノ共有権ヲ取得シタルコトヲ理由トシ共有権即各持分ノ全部ニ付キ其円満ナル支配状態ヲ回復スルカ為ニ同不動産上ニ存スル上告人名義ノ不法登記ノ抹消手続ヲ訴求スルモノナレハ共有者全員ニ対シ合一ニ確定スヘキ所謂必要的共同訴訟ニ属スル案件タルコト論ヲ俟タス」（大判大一一・七・一〇前掲【13】を参照している）（大判昭五・一二・一三新聞三二一三、評論二〇民訴一九）。

「円満ナル支配状態ヲ回復スル」ことと合一確定の必要とはどういう意味で結合するのだろうか。

前掲【23】を前提とすると、共有者は単独で抹消請求ができる。そのことが、実体法上、勝訴の共有者が単独で判決による抹消登記申請ができることを意味するならば、これにより登記が抹消されたときは、その利益は他の共有者も反射的にこれを受けるのではなかろうか。そうすると、共有者の共同抹消請求訴訟において、一人でも勝訴すれば、他の者の敗訴にもかかわらず、「円満ナル支配状態ヲ回復スル」ことはできるのではなかろうか。

共有物についての誤った登記の抹消を求めるのは保存行為で保存行為は共有者全員が訴求する必要はないとする下級審の判例、

【25】東京地判昭一〇・一〇・二六（新聞三九三三・一三、評論二四民訴四二二）

があつて次の最高裁の判例に至る。

【26】「本件におけるがごとく、ある不動産の共有権者の一人がその持分に基き当該不動産につき登記簿上所有名義者たるものに対してその登記の抹消を求めることは、妨害排除の請求に外ならずいわゆる保存行為に属するものというべく、従つて、共同相続人の一人が単独で本件不動産に対する所有権移転登記の全部の抹消を求めうる旨の原判示は正当……」（最判昭三一・五・一〇民集一〇・五・四八七）。

これと全く同趣旨の判例が組合員の組合財産についての同型の訴について出ている（後掲【73】最判昭三三・七・二二民集一二・一二・一八〇五。この判決は前掲【26】最判昭三一・五・一〇を参照している）。訴訟に負けても保存行為たる性質は失われないのであろうか。抹消登記請求権が共有者の全員に不可分的に帰属しているとは考えられないであろうか。もしそれが許されるならば、合一確定の必要も否定されるであろう。ところで、保存行為と考える場合には、合一確定の必要の有無はどう考えるべきか。

【27】　AはYに対し土地所有権移転登記抹消の訴を起した。第一審口頭弁論終結前A死亡。一八名が相続。Yも相続人の一人。A敗訴。Aの代理人控訴提起。Y受継申立。Yを除く他の一七名も受継。そのうち一名Sは控訴取下、六名（Sを含む）は訴取下。

「……Aの共同相続人たる承継人等よりする右訴は右各地の共有権を主張し共有権に基き右登記抹消を求める訴となるものと解すべく、かかる訴を提起し訴訟を追行することは民法第二五二条の保存行為に該るものと認むべきであるから共有者全員が当事者となることを要せず一部の者より訴えることを妨げないが、訴訟の目的が右共有者全員について合一に確定することを要するいわゆる類似の必要的共同訴訟となるものと解するのが相当である」（札幌高函館支判昭三五・一二・一六民集一三・三・二四三）。

保存行為と訴訟共同の不必要とは結びつくが、合一確定の必要とは必然的に結びつくものであろうか。共有者である、従つて全員に一様の判決がなされないと共有者であることと矛盾する、とでもいうのであろうか。それならば、訴訟を共にしなかつた共有者をどう考えたらよいか。

（ニ）　その登記の抹消が要求される権利について（例えば所有権移転登記抹消請求における移転後の所有権）数人が共有関係にある場合。

【28】　Aの所有権取得を争いAの所有権移転登記の抹消を求めるXがAの死亡後にAの相続人六名のうちの一部を被告としてAの登記及びAの相続人の登記の抹消を訴求した。

「……Aノ為シタル所有権移転登記ノ抹消手続請求ニ付テハ此ノ六名若ハ其ノ相続人カ必要的共同訴訟人タル地位ニアルヘキモノニシテ上告人ハ右手続ノ請求ニ付キ勝訴ノ判決ヲ受ケントセハ此ノ六名又ハ其ノ相続人ヲ訴ヘサルヘカラ」ず（大判昭八・三・三〇裁判例七民五七）。

前掲（ロ）の場合と平行的に考えることができる問題なのであろうか。

【29】 Xの妻YはXに無断でXの印章を使用しX所有の建物につきYを買主とする売買名義の所有権移転登記を行ない、さらにXYの二男AとAの妻Bにそれぞれ三分の一の所有権を譲渡したことを原因とする移転登記を行ない、その結果登記上は右建物はYAB三人の共有名義となつた。そこでXはYに対し右の売買名義の所有権移転登記の抹消を訴求した。第一審X勝訴。Y控訴。控訴棄却。Y上告。Yは本訴はABをも共同被告とすべき必要的共同訴訟であると主張した。上告棄却。

「……当該被告が原告に対し所有権移転登記抹消登記手続をなすべき義務を有する限り、この者のみを被告とした所有権移転登記抹消登記手続の請求を認容して差支えがなく、当該被告よりさらに所有権移転登記を受けた者があるからといつて、その者を共同被告としなければならないものではない。けだし、本件のような意思の陳述を為すべきことの判決は、判決の確定によつて意思の陳述をなしたものと看做されるのであるから（民事訴訟法七三六条）、かりに転得者の承諾がないためその抹消登記手続の実行が不可能となつても（不動産登記法一四六条参照）、そのために、当該被告のみを相手方とした本訴が不適法となるわけはないからである。……」（最判昭三六・六・六民集一五・六・一五二三）。

この事案と【28】の事案とを比べると当事者適格の点で区別して異なる扱いをしていることに気がつく。しかし、そうしなければならない根拠ないし実益はどこにあるのであろうか。

(ホ) 抹消を要求されている登記を申請する際の登記義務者と登記権利者とは抹消請求訴訟の共同被告でなければならないか、また、共同被告とされた場合には合一確定の必要はあるのか。

(a) 訴訟共同の必要について　これについては多くの変遷した判例がある。

不動産所有権がXからY_1にY_1からY_2に売買により移転しそれぞれ登記を経由した場合においてXがXY_1間の売買の無効を理由として買主Y_2のための登記を抹消することを請求するには、大判明三六・

七・六(民録九・八五六)によればY_1Y_2を共同被告とする必要があるが、大判昭一三・五・四(法学七・一六七四)によれば、必要的共同訴訟に該当しないから、Y_2を被告とするだけで足りる(むしろY_1は被告適格がない。この変化は前掲、大民刑聯判明三八・一〇・一二【1】を媒介とする)。

不動産所有権がXからY_1に競落によりY_1からY_2に売買により移転しそれぞれ登記を経由した場合において競落の無効を理由としてY_2のための登記の抹消を請求する場合も同様である。すなわち前掲聯合部判決【1】以後の大判昭四・六・一(民集八・八・五六五)及び【30】最判昭二九・九・一七(民集八・九・一六三五)によればY_2のみが被告適格がある(この最判の理由は注目に値する)。

【30】「……家村キクに対する訴は前示のごとく競落を無効として、これを原因とする同人の本件家屋に対する所有権取得登記の抹消を求むるものであり、久保吉二に対する本訴請求は同人が右キクとの間にした売買の無効なることを原因として同人の所有権取得登記の抹消を請求するものであつて、その原因並びに請求は各独立であつて(ただ右売買の無効は、競落の無効なることから生ずる当然の結果であるという関係があるに過ぎない)、その間に「訴訟ノ目的カ共同訴訟人ノ全員ニ付合一ニノミ確定スヘキ」関係に立つものでないことは明らかである」(最判昭二九・九・一七民集八・九・一六三五)。

X所有の不動産をY_1が不法にY_1名義に移転登記をしてこれをY_2に売却し登記を経由した場合においてXがY_2のための登記を抹消することを請求する場合もY_2のみが被告適格を有する(Y_1に対しては抹消登記の義務者たらざるの理由を以て原告の請求を却下すべきを当然とする)(大判明四一・一〇・二七民録一四・一〇五二)。

Y_1Y_2間で設定した不動産賃貸借の登記の抹消をXが(不動産の所有者なのか抵当権者なのか明らかでない)請求する事案につき「抹消手続にはY_1Y_2の共同行為が登記法上必要である」という理由で、大判明三六・一〇・二八(民録九・一一七六)は、Y_1Y_2を共同被告とする必要を肯定したが、X所有の土地につきY_1Y_2間で設定した抵当権の登記の抹消をXが請求する事案につき【1】大民刑聯判明三八・一〇・一一（民録一一・一四六三）はY_1は被告適格なくY_2だけを被告とすべきものとした。

X所有の土地につきY_1のために永小作権及び地上権がありこれがY_1からY_2に譲渡され登記が経由された場合においてXが永小作権及び地上権の消滅を理由としてその移転登記の抹消を請求する事案につき【31】大民聯判明四一・三・一七（民録一四・三〇三）は、本件は「登記ノ形式上現ニ自己カ其登記名義人タルコトヲ明ニスヘキ手続ヲ要スル場合」ではなく「唯現ニ其権利ニ害アル登記ヲ抹消シテ足ル場合」であるという理由でY_2だけを被告とすることで足りるとした。

【31】「不動産ノ所有権若シクハ其他ノ権利ニ害アル登記数次アリタルトキ其権利ヲ保全セント欲セハ必スヤ登記ノ形式上現ニ自己カ其登記名義人タルコトヲ明ニスヘキ手続ヲ要スル場合ト唯現ニ其権利ニ害アル登記ヲ抹消シテ足ル場合トアリ例之ハ所有権若クハ地上権ノ移転登記数次アリテ最先ノ登記名義人タル所有権者若クハ地上権者カ其名ニ於テ登記セラレタル登記原因ノ無効ヲ主張スル場合ノ如キハ前者ニ属シ之ニ反シテ地上権ノ移転登記（第一次ハ設定登記）数次アルカ又ハ抵当権ノ移転登記（第一次ハ設定登記）数次アリテ所有権者カ其地上権又ハ抵当権ノ設定行為若クハ移転行為ヲ無効ナリト主張スル場合ノ如キハ後者ニ属ス然リ而シテ前者ニ在リテハ縦令現ニ効力ヲ有スル登記（即チ最後ノ登記）ヲ抹消スルモ登記ノ形式上最先ノ登記名義人ハ果シテ真ノ名義人ナルヤ否明ナラサルニ因リ中間ノ登記モ亦抹消シテ以テ原登記ノ現ニ効力アルコトヲ明ニスルノ要アリ是レ此場合ニ於テハ請求者ノ権利ニ害アルヘキ登記ハ現ニ其効力ヲ有スルト否トニ拘ラス其各登記名義人ニ対シテ登記抹消ヲ請求スルノ止ムヘカラサル所以ナリ若シ夫後者ハ之ト異ナリ所有権ノ登記ハ儼乎トシテ存在シ現ニ其害トナル登記ヲ抹消スルノミニテ優ニ其権利ヲ保全スルコトヲ得ヘシ蓋シ中間ノ登記ハ既往ニ於テ所有権ニ害アリタルニ止リ現ニ其効力ヲ有セサルヲ以テ縦令之ヲ抹消セサル

モ所有権行使ノ妨トナラサルヤ明ケシ是レ此場合ニ於テハ唯現ニ効力ヲ有スル登記ノ名義人ニ対シテ其登記ノ抹消ヲ請求スルヲ以テ足レリト為ス所以ナリ」（大民聯判明四一・三・一七民録一四・三〇三）。

所有権の場合と、制限物権の場合とを区別した点は問題があろう（我妻・判民昭一三・一〇二事件評釈をみよ）が、訴訟共同の必要を否定した点だけを本稿では取りあげておこう。

Y_1が不動産をXに売却しておきながらY_2にも売却しY_2に移転登記をしたのでXがこの移転登記の抹消を請求する事案につき、大判明三八・四・二一（刑録一一・四五一）は「抹消はXとY_1Y_2が共同申請することが必要である以上、Y_1Y_2のうち一名に対し抹消手続を命ずる判決があつても他の一名について抹消請求棄却の判決があるならば、抹消を命ずる判決は執行することができない」という理由でY_1Y_2を共同被告にする必要を肯定したが、聯合部判決後の大判明四一・四・一一（民録一四・四三一）は同じ型の事案について【31】大判明四一・三・一七を引用して登記名義人（買受人Y_2）が登記義務者（抹消登記の登記義務者といういみであろう）であるという理由でY_2だけが被告適格があるとしY_1Y_2についての合一確定の必要を否定した（ただ、「売買無効ノ確認ヲ求ムル場合ハ格別」といつている）。

この趣旨は抵当権設定に伴う代物弁済契約（債務の弁済がない場合には担保不動産をもつて弁済にあてる）に基づく所有権移転請求権保全の仮登記についても踏襲された（大判昭一三・八・一七民集一七・一六〇四、最判昭三二・九・二八民集一一・九・一二一三）。

【32】「……上告人に対する本訴請求は、被上告人から上告人に本件不動産を売渡した事実のないことを原因として上告人に対する売買による所有権移転登記の抹消を請求するものであり、右会社に対する訴は、右不動産につき上告人と右会社との間になされた抵当権設定契約及び代物弁済契約が無権利者の処分行為で

無効であるとの趣意のもとに、右契約による抵当権設定登記及び請求権保全仮登記の各抹消を請求するものであって、その原因及び請求は各独立し、その間「訴訟ノ目的カ共同訴訟人ノ全員ニ付合一ニノミ確定スベキ場合」でない……」(最判昭三一・九・二八民集一〇・九・一二二三)。

例えば、抵当権の設定登記申請のさいには登記権利者(抵当権者)と登記義務者(抵当不動産所有者)は申請に共同しなければならない。抵当権抹消登記申請の場合には、抹消登記の権利者(抵当不動産所有者)と抹消登記の義務者(抵当権者)が申請に共同しなければならない。第三者が抹消を求める場合も同様であろう。しかし、判決による抹消登記を意図する場合は事情が異なる。この相異が明確に民刑聯合部判決以後認識されたわけである。

(b) 合一確定の必要について　当該の場合に訴訟共同の必要を肯定する判例は合一確定の必要をも肯定することは当然である。当該の場合に訴訟共同の必要を否定する判例のうち、抹消を求められた権利の権利者だけが被告適格を有するとする判例(例えば、前掲大判昭一三・五・四、最判昭二九・九・一七、大判明四一・一〇・二七、大判明四一・四・一一、最判昭三一・九・二八)は合一確定の必要を否定する。しかし、右の権利者(例えば転得者)と共同申請した共同者(例えば原告から買ったもの)をも被告とした場合に抹消請求につき合一確定の必要を肯定する判例もある(例えば、前掲大判昭四・六・一)。

しかし、この点は、もうすこし細かく分析する必要があろう。例えば、ある不動産についてXからY_1、Y_1からY_2と所有権移転登記を経たとしよう。XがXの所有権登記を回復するには、Y_2に対する抹消請求とY_1に対する抹消請求に勝訴しなければならない。Y_2に対する請求とY_1に対する請求は併合しなければならないということはない。また、Y_2に対する請求についてY_1が共同被告になることはなく、

Y_1に対する請求についててY_2が共同被告になることもない。このような状態で、もしY_2に対する請求とY_1に対する請求が併合されたならば、Y_1に対する請求を理由あらしめる原因がY_2に対する請求を理由あらしめる原因でもあるという場合には（例えば【30】最判昭二九・九・一七をみよ）、原因の判断が合一であらざるをえないという意味で、合一確定の必要が肯定されるであろうか。

前述のように【30】（最判昭二九・九・一七）及び【32】（最判昭三一・九・二八）はこれを否定した。

なお大審院時代の下級裁の判例として次のようなものがある。

X所有の土地につき不法に自己のため売買に因る所有権取得登記をしたY_1に対して右登記の抹消を、Y_1から抵当権の設定を受けて登記をしたY_2に対して同登記の抹消を、同一訴訟でXが訴求した事案につき東京控判大九・六・一四（評論九民訴五二六）は「各請求ハ彼此権利上ノ関係」がないという理由で、Y_1の登記の抹消にはY_2の承諾書又はY_2に対抗しうる裁判の謄本が必要であることを認めながら、しかし、合一確定の必要を否定した。

XA共有の土地につき分割の便宜上通謀虚偽表示によりXがA名義に所有権を移転したがAの相続人Bがこの土地をY_1（悪意）に売り登記をしY_1はこの土地にY_2（善意）のために抵当権を設定し登記をしたのでY_1Y_2を被告としてXが右登記の抹消を訴求した事案につき東京控判大一二・四・六（評論一二民法五二五）は（理由を示さないで）合一確定の必要を肯定しこのことを理由としてY_2に対して所有権を対抗しえない以上Y_1に対するXの請求も認容されえないとした。

ある土地につき（家督）相続をしたXが共有権の（遺産）相続をしたとして登記したY_1に対して共

有権取得登記の抹消を、Y_1から右共有権を買つて移転登記をしたY_2に対して右売買による共有権取得登記の抹消を、同一訴訟で訴求した事案につき東京控判大一〇・三・二五（新聞一八五三・二〇）は「Y_2ノ共有権取得ノ無効ナルヤ否ヤハY_1ノ右遺産相続ニヨル共有権取得ノ無効ナルヤ否ヤニヨリテ決セラルベキ筋合ナレバ」という理由で合一確定の必要を肯定している。

（へ）　更正登記　　更正登記については、建物所有者が建物の存する土地の所有者、右土地についての抵当権者、右土地の賃借人、右建物の賃借人を被告として右土地の表示に錯誤があるとして更正登記を訴求した事案につき大判明四一・五・一八（新聞五〇一）は被告の全員に対し勝訴しなければ更正登記申請をすることができないからこの訴の目的を達することができないという理由で合一確定の必要を肯定し、同趣旨の判例として大判昭九・五・二二（新聞三七〇三・一一）がある。

【33】　XはY_1に代位しY_2に対し、Y_1の先取特権保存登記の目的たる本件建物の表示の更正登記を訴求し、Y_1に対し、右建物表示の更正登記をする承諾の意思表示を訴求した。

これらは「$Y_1$$Y_2$ニ対シ共同訴訟人トシテ一ノ訴ヲ以テ訴求セル以上ハ同一ニ裁判ヲ為スニ非サレハ訴訟ノ目的ヲ達セサルモノナレハ」民訴六二条一項に該当する（大判昭九・五・二二新聞三七〇三・一一、評論二三民五三一）。

ここでもまた「訴訟ノ目的」の達成が合一確定の必要の根拠となつている。それは全員に対する勝訴であるようにもみえる。しかしそれならば、訴訟共同の必要を認めざるをえまい。ところが、「一ノ訴ヲ以テ訴求セル以上ハ」といつて、たまたま共同訴訟になつた場合を考えているようにみえる。それならば、ある共同訴訟人に対する判決と他の共同訴訟人に対する判決とが内容において相反し、

しかも、その効力が互に他の共同訴訟人に及ぶということをおそれる必要がこの場合にあるのだろうか。もし、ないならば、そこでの合一確定の必要は、いわば法律上の必要ではない。ただ、事実上合一に確定されることが多いであろうというに止まる。

なお前掲【12】をみよ。

（ト）　その他　民法三九五条に基づき判決により解除された賃貸借の登記の抹消を抵当権者が請求する事案につき大判昭九・二・一七（新聞三六七五・七）は賃貸借登記上の権利者たる賃借人が被告適格を有するという理由で賃貸人賃借人双方を共同被告とする必要を否定した。

回復登記については数人の登記上利害関係を有するものに対する回復登記請求訴訟は必要的共同訴訟ではない（函館控判大一〇・九・一三新聞一九〇七・一九）。

(4)　多数当事者の権利に関する訴訟　数人が権利共同の関係にある場合にこの権利共同はその数人のまたはその数人に対する訴訟においてその数人の訴訟共同をまたはその数人に対する合一確定を必要とするかという問題がある。権利共同の関係は共有とそれ以外の場合に分けられることができる。共有は所有権の共有（民二四九以下）とそれ以外の財産権の共有（民二六四）とに分けられる。共有以外の権利共同の関係としては合有、総有がある（いうまでもないことであるが、ある現実の権利共同関係が共有であるか、合有であるか、総有であるかは、さらに別の問題である）。

（イ）　所有権の共有　所有権の共有については、共有者相互間の争と共有者対第三者間の争とを区別することが便利である。前者については共有関係を解消するかしないかの争と共有者であるかないかを廻る争とが考えられる。

(a)　共有者相互間の争

(i)　共有関係の解消を廻る争は共有物分割請求訴訟である。共有物の分割を訴求するには分割を欲する共有者は自分以外の共有者全員を被告としなければならないかそれとも分割に応ずる共有者はこれを被告とする必要はないか。大判明四一・六・八（民録一四・六九一）は、「任意ニ分割ノ手続ヲ為ス者ニ対シテハ強ヒテ裁判上ノ請求ヲ為スヘキ必要」はないとしたが、大判明四一・九・二五（民録一四・九三一）は任意分割を承諾するものを強要して共同被告とする必要はないという上告理由を容れないで共有者全員が「分割ニ於ケル当事者トシテ共有物ノ分割ニ直接利害ノ関係ヲ有スル」という理由で原告以外の共有者全員を共同被告とする必要を肯定し、この趣旨はその後一貫して踏襲された（大判大五・一二・二七民録二二・二五二四、大判大一二・一二・一七民集二・一二・六八四、大判大一三・一一・二〇民集三・一二・五一六、大決昭七・九・一〇民集一一・二一五八）。

【34】「共有トハ数人カ共同シテ同一物ノ所有権ヲ有スル状態ヲ云フモノニシテ此ノ関係ヲ終了セシメル所以ノ方法即チ共有物ノ分割ニ外ナラス故ニ共有物ノ分割ハ単ニ共有者中ノ或者ノミニヨリテ之ヲ為スコトヲ得ス必スヤ共有者全員カ分割手続ニ参与スルコトヲ要スルハ共有ノ性質上当然ノ結果ナリトス而シテ各共有者ハ分割ニ於ケル当事者トシテ共有物ノ分割ニ直接ノ利害ノ関係ヲ有スルモノナレハ共有者中ノ或ル者ヲ除外シテ分割手続ヲ遂行スルカ如キハ協議上ノ分割ニ於ケルト裁判上ノ分割ニ於ケルトヲ問ハス絶対ニ之ヲ許スヘキニ非サルナリ……」（大判明四一・九・二五民録一四・九三一）。

第三者が共有持分を譲受け、譲渡の当事者以外の共有者が右譲渡を争う場合に、分割を請求するときは、譲渡人が分割訴訟の当事者となるべきか（分割の結果譲渡人に帰属することになった部分を譲受人に移転する）、この場合、譲受人は譲渡人に代位できるか、あるいは、譲受人が当事者となるべきか、この場合には譲渡人は譲受人の補助参加人になるのか分割訴訟の被告になるのか（持分の譲渡に争がない場合には譲受人のみが分割訴訟の当事者であるべきであろう（前掲大判大一二・一二・一七、大判大一三・一二・二〇参照）が）。$Y_1Y_2Y_3$外一一名とAとが共有する土地につきX_1X_2が$Y_1Y_2Y_3$外一一名からその持分を買受けたが移転登記をしない間にY_2Y_3がその持分をBに売却したのでY_2Y_3がBに売却した持分を買戻し$Y_1Y_2Y_3$外一一名が共有地の分割をして彼等に帰属した部分の所有権をX_1X_2に移転し登記手続を為すべきことをX_1X_2が$Y_1Y_2Y_3$外一一名を被告として訴求した事案につき前掲大判明四一・六・八はこれを認容した（この事件は、よく見ると、X_1X_2の$Y_1Y_2Y_3$外一一名に対する売買契約上の義務の履行請求事件で、直接に分割請求を訴訟物とする事件ではない）。

ところが、六三名の土地共有者のうちAがXに持分を譲渡したが登記手続はしていなかったところX外一六名がAを含めたY外四五名を被告として分割の訴を提起した事案につき前掲大判大五・一二・二七（民録二二・二五二四）は、土地の共有について争ある以上はAからXへの持分移転は登記なくしてはA以外の共有者に対抗できないという理由で、Aに対しては持分の移転と登記とを訴求すれば足りAは分割請求の当事者たりえないという上告理由を排斥して、Aを被告に含めるべしとした原判決を支持した。

(ii)　共有者相互間で共有者であるか否かが争われる場合がある。このような場合については、目的物について一定数の数人の共有関係が存するか否か（つまり、共有者たる人の範囲）についての争と特定個人の持分についての争とを区別することができる。

①　甲と乙の共有であるか否かの争

自分も共有者だと主張する者はこれを争う共有者だけを被告とすれば足りるかそれとも他の共有者全員を被告とする必要があるか。

訴訟共同が必要であるならば、この場合には、合一確定も当然に必要であろう。

まず、前掲【10】(大判大二・七・一一)をみよ。

X外一二名とYとAとが共有する山林につきX外一二名がYを被告として右山林が右計一五名の共有に属することの確認を訴求した事案につき大判大一三・五・一九(民集三・六・二一一)は一般論としては数人が共同して有する一の所有権の確認の訴は共有者全員の権利関係の確認を求めるものであるという理由で共有者全員が当事者となることの必要を肯定した(第三者に対するこのような確認請求事件についての判例、後掲【36】大判大五・六・一三及び【37】大判大八・五・三一を引用している)が、事案については第三者に対し共有者全員の権利関係の確認を求めるものでないという理由でこれを持分権確認の訴と把握し訴訟共同の必要を否定した(この点では後掲【35】大判大六・二・二八、【58】大判大一一・二・二〇を引用している)。

檀家連が金を出しあって寺のために購入した土地について被告らと共有だと主張する檀家連二〇名が、これらのものとの共有でないと主張する檀家連六二名を被告として、共有権の確認を訴求した事案について、大判大六・四・一八(民録二三・七九九)は、訴訟共同の必要の有無には触れず、理由を示すことなく、上告を容れて、合一確定の必要を肯定した。

事実関係は明らかでないが、同型と思われる事案について、同趣旨の判例、大判大六・一二・一四(新聞一三六九・三〇)がある。

② 共有者相互間での特定の個人の持分についての争

田地の共有者六五名のうち、一八名が共有物の表面上の名義人二名を被告として（従って四五名は当事者になっていない）各自の持分（六五分の一）の確認を訴求した事案について前掲【11】大判大三・二・一六（民録二〇・七五）は「判決ハ単ニ当事者間ニノミ効力ヲ有スルニ止マル」ことを理由として合一確定の必要及び訴訟共同の必要を否定した。これは例えば、ABC三人の共有で、Bの持分がAとの関係では三分の一で、Cとの関係では四分の一である、ということになってもさしつかえない、という趣旨であろうか。

【35】 X_1X_2YAB外六名の共有の不動産につき登記名義がYABの名義になっている場合にX_1X_2がYを被告として共有権確認及び登記更正を訴求した。

「……共有権ハ共有者各自ノ権利ナレハ各自独立シテコレヲ主張スルコトヲ得ヘキノミナラス他ノ共有者ノ何人ニ対シテモ各別ニ之ヲ主張スルコトヲ得ヘキモノナレハ各共有者ハ他ノ共有者ニ対シ独立シテ其共有権ノ確認及登記請求ノ訴ヲ提起スルコトヲ得ルハ勿論他ノ共有者全員ヲ相手方トスルヲ要セス唯自己ノ共有権ヲ争フ共有者ノミヲ相手方ト為スヲ以テ足ル」、原審は判決の効力が当事者でない共有者に及ばないことを理由に訴訟共同の必要を否定したが、「及フトスレハ寧ロ之ヲ当事者ニ加フルノ必要存セサルヲ以テ其論理妥当ナラサルモ」訴訟共同の必要なしとしたのは正当である（大判大六・二・二八民録二三・三二二、新聞一二四七）。

この判例は原野の共同使用収益権に関する後掲【58】大判大一一・二・二〇（民集一・二・五六）に引用され、さらに、これら二つの判例が、前掲（三三頁）大判大一三・五・一九（民集三・六・二一一）によって引用されている。

この大判大六・二・二八の趣旨は昭和に入ってからも踏襲されている。第三者を相手方とする事案についての後掲【41】大判昭三・一二・一七、Xら一一名がYら二八名を相手方としてXら一一名Yら二八名ほか一七名計五六名の共有を主張した事案についてこの大判昭三・一二・一七を引用して合一確定をも否定する大判昭七・七・一六（新聞三四五一・一四）、相手方が第三者か他の共有者かは不明であるが、同型の事案についての大判昭九・三・一六（新聞三六八六）などがそのことを示している（(c)をみよ）。

戦後には、仙台地判昭二八・七・二七（下級民集四・一〇三五）が次のようにいつている。「原告がある物件の共有者を被告として原告にもまた共有権があることを主張して持分確認請求の訴を提起するには共有物の分割、その引渡、登記等を訴求する場合と異り、訴訟の判決が共有者全員に合一にのみ確定すべき場合ということができないから、共有持分の存在を主張する者だけを当事者とすれば足り、そのこれを主張しない共有者をまで原告又は被告とする必要が存しない。」

また、後掲【63】最判昭三四・九・二二（ジュリ一八九号）をみよ。

(b)　共有者対第三者の争　　共有者と第三者との争については、確認の訴と給付の訴を分けることが便利である。

(i)　共有者と第三者との間の共有関係の存否についての争

所有権の帰属に関する争と持分権の帰属についての争とを区別することができる。

①　所有権の帰属に関する争

X外五名とAとBとの共有である立木の所有権の確認をX外五名がYを被告として訴求した事案につき大判大五・六・一三（民録二二・一二〇〇）は共有物の所有権は総共有者に属し単独の訴の提起は敗訴した場合には事実上他の共有者に不利益を及ぼすことがあるから保存行為ではないという理由で訴訟共同の必要を肯定した。

【36】「……共有物ノ所有権ハ総共有者ニ属スルヲ以テ其ノ確認ノ訴ヲ提起スルニハ共有者全員ニ於テス

ルコトヲ要シ各共有者ハ単独ニ之ヲ為スコトヲ得サルモノトス原判決ハ各共有者ハ保存行為トシテ単独ニテ所有権確認ノ訴ヲ提起スルコトヲ得ヘシト説明スレトモ単独ニテ其訴ヲ提起シタル結果時トシテハ其所有権ヲ否定シタル敗訴ノ判決ヲ受ケ事実上他ノ共有者ニ不利益ヲ及ホス場合アリ得ヘキヲ以テ右ノ訴ノ提起ヲ以テ保存行為ト云フコトヲ得サルモノトス……」(大判大五・六・一三民録二二・一二〇〇)。

【37】 共有者の一部が村を被告として目的物が共有者の全員の共有に属することの確認を訴求した。

「共有者カ他人ニ対シ共有物ノ全体ニ付キ提起スル共有権確認ノ訴ハ民法二五二条ニ所謂保存行為ニ属セサルコト当院ノ判例トスル所ナリ（……大五・六・一三民一判）……」(大判大八・五・三一民録二五・九四六、新聞一五九〇・一五)(【64】をみよ)。

後掲【41】大判昭三・一二・一七も、共有者が目的物につきそれが共有地であることの確認を第三者との間で求める場合には、訴訟共同の必要を認めている。

【38】 共有用水権確認請求の事案につき、他の共有者に対する共有権確認は争う共有者だけを相手方とすればよいが、「第三者カ共有者ニ対シ其ノ権利ヲ否認シ之カ権利行使ニ妨害ヲ加フル者アル場合ニ於テ共有者カ其ノ第三者ニ対シ共有権確認ノ請求ヲ為サントスルニハ共有者全員ヨリシテソノ第三者ニ対シテ訴訟ヲ提起セサル可カラス」(大判昭五・一一・一〇裁判例四民一一三)。

この判例は、理由を示していない。他の共有者に対する場合と、第三者に対する場合とを、なにを根拠にして、区別したのであろうか。

【39】 山水ヶ嶽四〇番地の山林の共有者の一人たる竹野区（X）が隣接する市ヶ尾一〇六番地の二の山林の所有者矢畑区（Y）を相手方として境界確認と立木所有権確認とを訴求した。第一審Xの請求認容。Y控訴。原判決取消、Xの境界確認請求却下、Xの所有権確認請求棄却。

「相接する土地の境界の確定を求めるいわゆる境界確認の訴についての判決は、形成判決（形式的）に属するものであるから、その土地の共有者の一人が、右の訴を提起した場合においても他の共有者に対して判決の形成力の効果が及ぶものである故に、右の判決の確定したときは、共有者全員にとつて、共有地の所有権の範囲（右境界方面の部分）が確定されると同一の結果が生じることとなる。従つて、境界確認の訴の当事者となり得るものは、共有地全体について処分権を有するもの、すなわち、共有者全員であるといわざるを得ない。本件においては相接する隣地の一方たる山水ヶ嶽四〇番地の山林がXを含めた共有者の共有に属することは当事者間に争なく、しかもX以外の共有者が共に当事者として訴訟に加入していないこと明であるから、これが境界確認を求める本訴は当事者適格のないものの提起したこととなり、却下を免れない。」（大阪高判昭三六・五・二七下級民集一二・五・一二〇九）。

共有権そのものの確認請求ではない場合の例を参考のためにあげておこう。

【40】「本訴ハ要スルニ原告ノ主張ニ依レハ共有山林ニ付表面上存在スル無効ノ土地使用契約ニ関シ被告等ハ之ヲ有効ト主張シ共有物ニ対シ侵害ヲ加フル虞アルヲ以テ之ヲ防止シ共有物ノ原状ヲ維持スル為契約ノ無効確認ヲ求ムト謂フニ在ルヲ以テ右ノ如キハ民法二五二条但書ニ所謂共有物ノ保存行為トシテ共有者ノ一人タル原告単独ニテ之ヲ為シ得ルモノト云フヘク此ノ点ニ関シ被告等ハ若シ原告ニ於テ本訴ニ敗訴センカ他ノ共有者モ之カ為事実上不利益ヲ受クル場合アルヘキヲ以テ本訴ハ之ヲ保存行為ト認ムヘカラサルノミナラス仮ニ然ラストセハ単一ノ契約ニ付数個ノ訴訟係属シ得ル可能性アルヲ以テ共有者間ニ数個ノ矛盾セル判決ヲ受クルコトナキヲ保セス不当ノ結果ヲ生スル旨主張スレトモ本訴ヲ保存行為ト認ムヘキコト前叙ノ如クニシテ右法条但書ノ規定ハ共有物ノ保存行為ハ処分行為又ハ管理行為ト異ナリ其措置適当ヲ欠ク場合ニアリテモ他ノ共有者ノ権利ニ波及スルトコロ比較的僅少ナルヲ以テ各共有者単独ニテ全共有者ノ為事実上法律上ノ行為ヲ為ス権限ヲ附与シタルモノト解スルヲ相当トスルカ故ニ他ノ共有者カ訴訟ノ結果如何ニ依リ不利益ヲ受クルトスルモ之ヲ以テ保存行為ニ非スト為スヲ得サルハ勿論既ニ右ノ如ク保存行為ハ全共有者ノ為ニ共有者各自ニ於テ之ヲ為スコトヲ認ムル以上民訴法二〇一条二項ノ規定ニ依リ本訴判決ノ確定力ハ共有者全員ノ為効力ヲ生スルモノト為スヘク従ツテ本件契約ノ無効ナリヤ否ヤハ本訴ニ於テ共有者全員ニ付キ合一ニ確定セラルルモノトス即チ本訴ハ被告等主張ノ如キ固有ノ必要的共同訴訟ニ非スシテ共有者ノ一人又ハ数人ニ於

テ任意ニ適法ニ訴ヲ提起シ得テ而モ法律関係カ同一ニノミ確定セラルルコトヲ要スル所謂類似ノ必要的共同訴訟ト認ムヘ」し（福井地判昭一二・六・一四新聞四一五三・一六）。

右の【39】と【40】の理由とするところは、注目に値する。なお、第三者が共有者を被告として所有権の確認を訴求する場合については所有権確認請求訴訟の項をみよ。

② 持分権の帰属に関する争

国有原野をA外六名が払下を受けたが（持分各七分の一）その売買相続等により$X_1$$X_2$$X_3$（以上持分は各七分の一）$X_4$$X_5$$X_6$$X_7$$X_8$（以上持分は各三五分の一）A（持分七分の三）の九名の共有となりX_1は自己の領有持分に生立する自己所有の松立木全部をBに売りBは伐採をはじめたが国がこの土地は官有地であると主張して伐採中止を命じたのでAを除くX_1等八名が国を被告として自己の持分の確認を訴求した事案につき【41】大判昭三・一二・一七（民集七・一〇九五）はX_1等とAとが共有していることを確定しなければX_1等の持分を確認することができないという理由で訴訟共同の必要（Aも共同原告となることの必要）を肯定した原判決を、持分の主張には共有物の存在及び範囲の主張が必要だがこれは共有者全員の共有権の確認とは異るという理由で訴訟共同の必要を否定し、これを破棄した。

【41】「……而シテ各共有者カ自己ノ持分ニ付第三者ニ対シ確認ノ訴ヲ提起シ其ノ訴ニ於テ共有物ニ於ケル自己ノ持分ヲ主張スルニ当リテハ之カ前提トシテ共有物ノ存在及其ノ範囲ヲ主張スルコトヲ要スルモノニシテ若シ其ノ存在及範囲ニ付争アルトキハ之ヲ立証セサルヘカラス而モ斯ル主張ハ共有者全員ノ共有権ノ確認ヲ求ムルモノニ非サルヲ以テ各共有者ニ於テ単独ニ之ヲ為スコトヲ得ヘク裁判所モ又原告ノ共有持分ノ存否ヲ確認スルノ先決問題トシテ共有物ノ存在及範囲ヲ判断スルコトヲ得ヘキモノ……」（大判昭三・一二・一七民集七・一〇九五）。

共有権そのものの存否が先決問題である場合には触れていないわけである。

【42】　有限会社の社員Xの持分をY_1が差押えて転付命令によりY_1に移転しY_1はこれを会社の承認を得てY_2に譲渡して社員名簿上もX$Y_1$$Y_2$と名義が移った。Xは持分は転付しえないとして右転付命令の効力を争い、Xの持分権の確認を$Y_1$$Y_2$を被告として訴求した。$Y_1$$Y_2$は一審二審とも敗訴。$Y_1$$Y_2$はXが社員たるには会社の承認が必要であるから会社を共同被告とする必要があると上告した。

「本件においては有限会社である訴外会社の持分の帰属について当事者間に争が存するのであるから、その争ある当事者だけの間で持分の帰属の確認を求める本訴請求は適法であり、たとい所論のように訴外会社において本訴の判決により確定されるべき持分の帰属を承認しない虞があるとしても、そのことの故に右持分の帰属を訴外会社との間でも合一に確定しなければならない理由はないというべきである（大審院昭和八年一〇月一三日判決民事判例集一二巻二五〇二頁参照）」（最判昭三五・三・一一民集一四・三・四一八）（引用された判例は後掲【142】）。

判例によれば、共有者を原告とする共有権そのものの確認訴訟においては、訴訟共同の必要があり、共有持分権の確認訴訟においては訴訟共同の必要はないという。しかし、後者の場合に、共有関係そのものの存否及び範囲が先決問題となることがあろう。前掲【41】は単独訴訟の審理において共有物の存在及び範囲を判断することができるという。これが、共有権の存否及び範囲も判断できるということを意味するならば、そうすると、訴訟物としてならば訴訟共同の場で判断をしなければならないが、先決問題ならば単独訴訟の場で判断することができるというのであろうか（反対の考え方と思われる前掲【10】と対比せよ）。もし、そうであるならば、このことは、訴訟物としてならば合一確定の必要はあるが、先決問題としてならばその必要はないということを意味するであろう。

(ii)　共有者対第三者の給付訴訟（ただし、登記訴訟をのぞく）

これについては、共有者を原告とする場合と共有者を被告とする場合が区別される。

①　共有者を原告とする給付訴訟

所有権に基づく物権的請求訴訟の場合に、共有者は共同原告となる必要があるか、また、共同原告となつた場合に合一確定の必要があるか。

【43】　YはAが$X_1X_2X_3X_4$の四名から負担した債務のためその財産を競売されそうになつたので係争物件ほか九点を三〇〇円に見積りこの値で$X_1X_2X_3X_4$に売却し同時にこれをYが賃借して右債務を猶予させたがYは債務を弁済しなかつた。そこで$X_1X_2X_3X_4$はYを被告として賃貸物の引渡しを訴求した。しかし、X_1は債権を訴外人に譲渡していた。そこで$X_2X_3X_4$の請求が認容された。そこで、Yは、四名の共有者中三名の請求のみを肯定するのは目的物が不可分である以上「引渡不能ノ判決」であると上告した。

「所有権ニ基キ第三者ニ対シテ共有物ノ引渡ヲ請求スヘキ場合ニ於テハ数人ノ債権者アル不可分債権ニ在テ各債権者カ単独ニテ債務ノ履行ヲ請求シ得ルカ如ク各共有者ハ総共有者ノ為メニ単独ニテ債務ノ履行ヲ請求スルコトヲ得ヘク総共有者共同ニテ之ヲ請求スルヲ要セサレハ……三名ノミカYニ対シテ共有物全部ノ引渡ヲ請求スルハ至当……」（大判大一〇・三・一八民録二七・五四七）。

ここでは、共有者の物権的請求権が不可分債権のように扱われて訴訟共同の必要が否定されている（大判大七・四・一九民録二四・七三一も、妨害排除目的物引渡請求は「共有者ノ一人トシテ」なすときは、物全体について為しうる、といつている）。

【44】「共有者ノ一人トシテ共有者全員ノ為メ」自己への引渡しを請求するには「民法第二百五十二条但書ニ所謂保存行為トシテ各共有者単独ニ之ヲ為シ得」る（大判大一〇・六・一三民録二七・一一五五）。

ここでは、保存行為であることが訴訟共同の必要を否定する根拠となっている。しかし、前にも指摘したように、訴訟で敗訴する場合も民法上保存行為であることになるのであろうか。【40】は、これを肯定するが。次に、合一確定の必要はどうか。

【45】 X_1X_2が共有する土地の上に無権限で建物を所有するYを被告としてX_1X_2が建物取毀し地所明渡を訴求した。原審は弁論を分離しX_1には通常判決をX_2には欠席判決を言渡した。X_1が上告した。

本訴は必要的共同訴訟で「斯クノ如キ場合ニ於テハ或共同訴訟人ノ弁論ヲ分離シ裁判ヲ為スヘキモノニアラサルコトハ従来本院ノ判例ノ示ス所ナリ」（大判大八・四・一八新聞一五六八・二五）として後掲【53】大判大六・九・二〇を引用している。この判決は地上権の共同相続人に対する地代値上請求事件についてである。

この事案では、共有者全員が原告となっている。だから、訴訟共同の必要を問題にすることがなかったのであろう。この判決は合一確定の必要を肯定している。しかし、不可分債権的に構成するならば、合一確定の必要は否定されよう。もし、保存行為論を採るならば、前掲【40】（福井地判昭一二・六・一四）によれば、合一確定の必要が肯定されようし、後掲【47】（神戸地判昭二八・一二・二三）によれば、それでも、合一確定の必要は否定されよう。このように、判例は、まちまちである。

【46】 Xらが共有する土地についてYがAに対する債権の強制執行としてこの共有土地について強制管理をした。そこでXらは第三者異議の訴を起した。

「本訴ノ請求ハ該土地カX等ノ共有ニ属スルモノナルコトヲ原因トスルモノニシテ訴訟ニ係ル権利関係ハX等ニ対シ合一ニノミ確定スル場合ナリト認ム」（東京控判大三・六・二五評論三民訴一四一）。

【47】 「賃借中の共有不動産につき賃貸借の合意解約或は無断転貸を理由とする賃貸借の解約を理由として該不動産の明渡を求める場合だとか共有不動産の不法占拠を理由としてその明渡を求める場合はいずれも

共有者はその管理行為として各自単独で或は数人共同して明渡の訴訟を提起することができるし、必ずしもその者に対する判決の効力が訴を提起しなかつた者に対し及ぶと解しなければならない理由はない……」(神戸地判昭二八・一二・二三下級民集四・一九三五)。

【48】　長崎地判昭三〇・一一・二八は木材搬出妨害禁止の仮処分の事案について、仮処分は処分行為ではなく単なる保存行為であるに過ぎず、共有者の一部がこれを行なつても常に適法であるといつている(下級民集六・一一・二五一一)。

② 共有者を被告とする給付訴訟

この場合に、共有者全員を被告とする必要があるか。また、共有者が共同被告となつた場合には合一確定の必要があるか。

【49】「本件ハ土地所有者タル被控訴人ヨリ地上建物ノ共有者タル控訴人及一審共同被告吉村安太郎ニ対シ不法ニ土地ヲ占拠スルモノトシテ共有建物ノ収去及土地ノ明渡ヲ求メ且共有者タル右両名ニ対シ該土地ノ賃貸借ニ基ク賃料及賃貸借期間後ノ賠償ヲ請求スト云フニアルヲ以テ右ノ請求中共有建物ノ収去土地ノ明渡ヲ求ムル点ニ於テハ共有者全員ヲ訴フルニアラサレハ勝訴ノ判決ヲ得ル能ハサル筋合ナレハ必要的共同訴訟ノ場合ニ属スヘク賃貸借ニ基ク賃料及ヒ賠償ヲ求ムル点ニ於テハ其請求権ハ元来可分債権ニシテ別異ノ裁判ヲナスヲ妨ケサルモノナルモ権利関係カ各別ニ確定スヘキ防禦方法ノ顕ハレサル本件ニ於テハ論理上凡テノ共同訴訟人ニ対シ合一ニノミ裁判スヘキ場合ニ属スルヲ以テ……」(年月日不明大阪控判大四(ネ)一三五新聞一〇四五・二六)。

この判決は訴訟共同の必要を肯定したとみることができる。ところで、その根拠は、実際上の目的を達するためには共有者全員に勝訴しなければならないことにあるようである。なお、防禦方法がまちまちでなければ、事実上、判決は合一になろう。

【50】「控訴人ハ其所有地ニアル被控訴人等ノ共有建物ヲ収去シ且其土地ノ明渡ヲ求ムルモノナルヲ以テ本訴ハ民訴法五〇条ニ所謂合一的確定訴訟ト認ム」（東京控判大二・五・二二新聞八八二・七、評論二民訴一〇四）。

【51】「XカY等ノ共有ニ属スル松及杉ヲ買受ケ代金ヲ皆済シタルニ拘ラス共有者ハ目的物ノ引渡ヲ為ササルヲ以テ其ノ引渡ヲ求ムル為提起シタル」本訴は連帯債務者に対する請求と同じく通常の共同訴訟で、それは「物ノ引渡ト云フコトヲ数人ニ分割シ各自カ其一部宛ヲ履行スト云フカ如キハ想像スルヲ得サルカ故ニ物ノ引渡ハ性質上不可分債務ニ属」し「不可分債務ハ連帯債務ト同様各自カ全部ノ債務ヲ負担セルヲ以テ」であるからである（大判大一二・二・二三民集二・一二七）（【96】と比べよ）。

右の二つの判例からは、共有者に対する債権的請求は不可分債務の扱いをし、共有者に対する物権的請求の場合には合一確定の必要を肯定する、ということになるようにみえるが、理由のあることだろうか。

（ロ）所有権以外の財産権の共有の場合（民法二六四）。

(a) 地上権

【52】地代増額等の請求について「Xノ主張ニ依レハ本件共同地上権者ノ一部ニ対シ本訴ヲ提起シタルハ他ノ共同地上権者カ本訴請求ニ異議ナキニ依ルモノニシテ、縦令権利関係カ共同権利者ニ対シテ合一ニ確定スヘキ場合ト雖モ如上請求ニ異議ナキモノニ対シテハ強ヒテ裁判上ノ請求ヲ為スノ必要ナキヲ以テ先ツ本訴請求ヲ肯セサルY等ニ対シ勝訴ノ判決ヲ得テ然ル後任意ニ請求ニ応スル他ノ共同地上権者ニ対シ本件請求ヲ為ストキハXノ目的ヲ達スルコトヲ得ヘキカ故ニ原審カ本件ニ於テ共同地上権者全員ヲ被告ト為ササルヘカラサル旨ノ上告人ノ抗弁ヲ排斥シタルハ正当ナリ（明四一・六・八言渡判決参照）」（大判大五・四・二〇民録二二・七八五、新聞一一四五）。

右の判決が訴訟共同の必要を否定したことは明らかである。事の性質上とか、全員に勝たなければ目的が達せられないとかの理由は反射的に否定されたことになる。だが、Yらに対する勝訴の判決が、異議なきものに対しても効力を有するのか、には触れていない。

それでは、共同地上権者数人を被告とした場合に、合一確定の必要は肯定されるのか。

【53】 地主Xは地上権者Y_1に対し地代増額の承諾を訴求した。Y_1死亡。$Y_2Y_3Y_4$が相続。

「……Y_2ハY_3Y_4ト共ニ被告Y_1ノ遺産相続人ニシテY_1ノ有セシ本訴地上権ヲ共有スルニ至リタルヨリ共同シテ訴訟手続ヲ受ケ継キタルモノナレハXノ請求ニ応スヘキ義務アルヤ否ヤハ別箇ニ確定スルヲ許ササル筋合ニシテ……」合一にのみ確定すべきもの（大判大六・九・二〇民録二三・一三五七、新聞一三三七）。

どういう意味で別箇に確定するを許さないのだろうか。

【54】 地主が地上権者に対し地代値上げ承認の意思表示を訴求した。訴訟係属中に地主は数人の相続人を残して死亡した。

「……一個ノ地上権ヲ共同シテ有スル者ニ対スル地代値上承認ノ請求ハ其性質上全員ニ対シテ為シ全員ヲシテ一団トナリテ承認ノ意思表示ヲ為サシムルニ非サレハ其効果ナク即チ必要的共同訴訟ノ場合ニ該当スルモノト謂フヘキカ故ニ裁判所ハ弁論ヲ分離シ先ツ遺産相続人中或一部ノ者ニ対シ裁判ヲ為スト云フカ如キコトハ之ヲ為スヲ得サルモノトス」（東京控判大六・六・二一評論六民訴三二一）。

なるほど、全員が同内容の値上げに同意しないかぎり目的は達せられない。この意味で「全員ヲシテ一団ト」することが必要である。しかし、同時に全員が同意することは必要でないであろう。だから、訴訟を共同にさせる必要はない。この意味では「全員ヲシテ一団ト」する必要はない。さて、地代値上げ請求の「性質」と合一確定の必要とが結びつくのは、どんな意味においてであろうか。全員に対し同内容の値上げが必要であるといういみで、単に実際上結びつくのであろうか。

(b) 株　式

【55】 XYBに割当てられた増資新株一七五〇株の優先引受権をY名義で引受け後に三分の一ずつ分配するというXYB間の約束をYが履行しないのでXがYを被告として三分の一の株式の引渡を訴求した。

「本訴ハ……民法第二五六条第二五八条ニ依リ共有物ノ分割ヲ請求スルモノニ非サレハ原告タルXカ共有者中Y一人ヲ被告トシ他ノ共有者タルBヲ共同被告トセサルモ不適法ニ非ス」(大判大一〇・六・八民録二七・一一〇八)。判民大正一〇年度九四東季彦評釈によれば、「大審院はYの株式引受を信託的行為と見たのである。即ち外部的関係としてはY一人が株式の引受人でありYのみが株式取得者である。けれどもYXB三人の内部関係に於てはYが引受けた株式総数の三分の一宛はYの信託的引受行為によつて当然三人に分属する。従ってXの株式引渡請求は内部関係上Xに帰属した株式の引渡を請求することであると見たのだ。それであるから本件の場合に於ては外部関係としての株式共有の存否を決する必要もなく又株式の三分の一宛は当然三人に属するので特別に株式の譲渡契約を必要としないから商法第二一七条に抵触することとならず又共有物の分割を請求するのでないから必要的共同訴訟とする必要もない訳である」。

(c) 実用新案権・特許権

【56】 XはAの実用新案登録の無効審判を請求した。審判係属中にAの権利をY_1 Y_2が承継した。特許局はY_1 Y_2に対し手続を続行し登録無効の審決をした。Y_1だけが抗告審判を請求した。

「斯クノ如ク共有ニ係ル実用新案権ニ付其権利者ヲ一方ノ当事者トスル登録無効ノ審判又ハ其ノ抗告審判ニ於テハ其ノ共有者ノ全員カ共同シテ一方ノ当事者タルコトヲ必要トシ其一人ノミニテハ当事者タル適格ヲ有セサルモノ……」Y_1の抗告審判請求はY_2のためにも効力を生ずる(大判昭八・七・七民集一二・一八四九)。

【57】 AB共同発明の特許権をX会社が得た。Yは特許無効審判を請求。その審判手続中Xは特許権の共有持分二分の一をAに譲渡。そこでAも審判の被請求人となつた。特許無効審判が下りた。Xだけ抗告審判

請求。特許庁はＸＡ共同の必要を肯定し、Ｘ単独による抗告審判請求を不適法却下の審決。Ｘは右審決取消の訴提起。

「抗告審判手続中請求人にＡの「表示が追加されたわけであるが、共有にかかる特許権についてその権利者を一方の当事者とする特許無効の審判またはその抗告審判においては、その共有者の全員が共同して一方の当事者となることを要し、また共有者に対する審決はその全員について合一に確定することを必要とするのであつて、民事訴訟法にいわゆる必要的共同訴訟に該当すべき場合であるから、その一人のした審判に関する行為は、その全員の利益においてその全員のため効力を生ずべき筋合であると解される……」抗告審判手続は審判手続の続審的上級審である。「したがつて、審判における共同被請求人の一人であるＸ会社のした本件抗告審判の請求は他の共同被請求人であるＡにも利益な行為としてその効力を生ずべきものであるから、Ｘが単独でした本件抗告審判の請求もこれを不適法ということはできない。……

本件抗告審判の請求は、Ａにとつて利益でないとの主張が考えられるとしても、もともと、必要的共同訴訟の審判において共同訴訟人の一人の訴訟行為が全員の利益においてのみ効力を生ずるものとされるのは、合一確定の必要上、訴訟資料の統一をはかり、かつ、共同訴訟人間の利害の調節をもはかろうとするにあるから、利益かどうかは、客観的に訴訟の全過程からみて共同訴訟人が当該訴訟で勝訴するに役立つかどうかによつてきめるべきものであり、しかも一般に、敗れたものにとつてこれを覆すため上級審の判断を受けることが利益であるといえることはいうまでもない。従つて共同審判当事者において相手方に負けることに利益があるという右のような主張は、それ自体許されないというべきである」（東京高判昭三七・一二・二〇民集一五・一二・一一四、ジュリ二五一・一三二、判タ一二九・四九）。

(d)　原野の共同使用権

【58】　Ａ所有の原野をＸＹ外二四名Ｂ外数名が共同して使用収益する権利があると主張してＸがＹ外二四名を被告としてＸの権利（持分権）の確認とＸの権利行使の不妨害とを訴求した。

「共有権ハ共有者各自ノ権利ナレハ各共有者ハ独立シテ他ノ共有者ニ対シ共有権ノ確認及登記請求ノ訴ヲ提起シ得ルハ勿論他ノ共有者全員ヲ相手方トスルコトナク自己ノ共有権ヲ争フ共有者ノミヲ相手方ト為スコトヲ得ルハ当院判例ノ存スル所（大正六年二月二八日民三判参照）ニシテ数人ニテ所有権以外ノ財産権ヲ有スル場合ニ於テハ民法第二六四条ニ依リ共有ノ規定ヲ準用スヘキモノナレハ該共同権利者双互間ニ於テ其権利ノ確認及妨害排除ヲ求ムル訴ニ付テモ亦同一ニ論定スルヲ相当ト」する（大判大一一・二・二〇民集一・五六、新聞一九六〇）（大六・二・二八判決は【35】）。

(e)　鉱業権

【59】　XA共同して有する石炭鉱区採掘権につき、XがBに交付した無効となつた白紙委任状をCが不法に利用して、X名義の虚偽の贈与契約書・移転登録申請書をCが作成し、A名義のそれらとともに鉱務署に提出し、Yに対し鉱業権全部につき贈与を原因とする移転登録をしたというので、XがYを被告として右登録の抹消を訴求した。

「鉱業権ノ共有者ハ鉱業法第七条第三項ノ規定ニ依リ組合契約ヲ為シタルモノト看做サ」れることを前提とし、原因事由を欠如する「登録ノ存在ハ鉱業権ノ行使ニ対スル妨害ニ外ナラサルヲ以テ、各共有者ハ民法第二六四条第二五二条ニ依リ単独ニテ鉱業権ノ保存行為トシテ其ノ妨害タル移転登録ノ抹消手続ヲ請求」できその訴訟は「必要的共同訴訟ニ非ズ」（大判大一二・四・一六民集二・二四三）。

なお下級裁の判例をあげよう。

【60】　共有の目的たる「鉱業法上不可分ノ性質ヲ有スル」鉱業権についてなされた仮処分の取消を共有者が訴求した事案につき訴訟共同の必要を否定し合一確定の必要を肯定した（長崎控判大七・五・九新聞一四一四・二一）。

（ハ）　流水・貯溜水の共同使用の場合　判例はこの場合を共有概念で構成しているようである。そうすれば（ロ）に該当する。しかし、一応、別に扱うことにする。

(a)　流水利用者相互間の争

【61】　流水の沿岸に水田を所有するものの一部が他の一部に対して分水権の確認を訴求した。

「然ルニ原裁判所ハ単ニ本訴ノ目的タル権利関係カ……合一ニノミ確定スヘキ場合ニ属スル旨ヲ説明シタルノミ他ニ其権利関係ノ性質ニ付キ何等ノ判断ヲ為サス直ニ前示訴ヲ適法ナラシムル必要上共同シテ訴訟ヲ為ス場合ニ該当スルモノトナシ上告人等ノ訴ヲ不適法トシテ却下シタルハ……理由不備」（大判大六・一二・一〇民録二三・二〇七〇、新聞一三六六）。

右の判決は、事案においては訴訟共同の必要はないことを暗示しているようにみえる。なお、事案が合一確定の必要がある場合であることは否定していない。つまり、合一確定の必要がある場合は訴訟共同の必要がある場合であるというのは理由不備で、訴訟共同の必要はないが合一確定の必要があるという場合に該当するか否かを判断すべきだつたというのである。

【62】　流水の下流に田地を所有する村民数名が上流の村民数名に対し灌漑水引用権確認と水落口堰止物排除とを訴求した。

「……其係争ノ水落ロハ一個ニシテ上告人等ハ其下流ニ各田地ヲ所有スルモノナルコトハ原判決ノ認ムルトコロノ事実ナリ果シテ然ラハ其権利関係ハ実ニ分離シテ之ヲ確定スル能ハサル性質ヲ有シ」合一にのみ確定すべきものである（大判明三九・六・六民録一二・九三〇、新聞三六一）。

【63】　甲乙丙三名の共有に属する温水利用権につき、甲が乙、丙を相手方として自己の配湯権の確認を求める訴は、訴訟の目的が共同訴訟人の全員につき合一にのみ確定すべき場合に当たるものと解することはできない（最判昭三四・九・二二ジュリ一八九号）。

(b)　流水共用者を原告とする第三者との争

【64】　ある水流をある引水口から田養水として引水する権利を共同して有する四七名のうち三〇名がこの引水を妨害する数名の第三者のうち一〇名を被告として用水専用権の確認と妨害の排除とを訴求した。

「上告人カ本訴ニ於テ求ムル確認ハ上告人カ訴外……ト共ニ有スル用水専用権其物ニシテ其持分ニアラサルコトハ……明ナルトコロナリ然ラハ上告人ハ他ノ共有者……ト共ニ原告トナリテ本訴ヲ提起スヘキモノ（大正五年六月一三日言渡判決参照）ナルニ拘ラス共有者ノ一部ナル上告人ノミ原告トナリテ提出シタル本訴中確認ノ請求ハ其理由ナキモノトス然レトモ共有権ニ妨害ヲ加フルモノアル場合ニ於テハ各共有者ハ之カ排除ヲ求ムルコトヲ得ヘク共有者全員ヨリ之ヲ求ムルコトヲ要セサルモノトス蓋シ其妨害ノ排除ヲ求ムルハ保存行為ニ属スレハナリ而シテ其妨害ノ排除ハ妨害者ノ全員ヲ相手方トシテ之ヲ求ムルコトヲ要セサルコト勿論ナリ」（大判大一〇・七・一八民録二七・一三九二、新聞一八九七）（妨害排除請求についても第一審大津地判は引水者全体の訴訟共同を肯定していた）（大正五・六・一三判決は【37】）。

次に合一確定の必要に関して、

【65】（前掲【2】と同一事件）　村民三九名が他村の大字を被告として溜池用水権を契約により譲り受けたことを理由として右用水権の確認を訴求した。

「……被上告人等ノ中アルモノカ係争権利ヲ承継セサルコト又ハ……ノ如キ権利関係ノ各別ニ確定スヘキ事実ノ顕ハレタル事跡ナク唯用水権譲渡ノ契約アリタルヤ否ヤト其ノ譲渡契約ノ有効ナルヤ否ヤカ争ニ係リタルモノナレハ此ノ契約ニ因リテ生シタル本訴ノ権利関係ハ共同訴訟人ニ対シ別個ニ確定スルヲ許サスシテ即チ合一ニノミ確定スヘキモノナルコト多言ヲ俟タス」（大判大二・四・二四民録一九・二六八、新聞八六五）。

(c)　第三者を原告とする流水共用者との争

【66】　門樋伏設故障排除請求事案について、「元来本件門樋伏設ノ如キハ水利ニ関シ利害関係人中一名ニテモ異議アル場合ニハ之ヲ設置スルヲ得サルモノナレハ当事者間ノ権利関係ハ合一ニノミ確定セサルヘカラサル性質ノ案件タルノミナラス……上告人ノ訴旨ハ契約ニ基キ被上告人全員ニ対シ門樋伏設ノ権利アルコト

ヲ認メシメントスルニ在リテ個々別々ニ請求スルトノ趣旨ニアラサルコト明カナリ故ニ本件ハ権利関係ノ合一ニノミ確定スヘキ事件ナリ……」（大民聯判明三五・四・一二民録八・四・六、新聞八〇・一二）。

【67】　Xの小作人Y_2Y_3が、無権利で自分の田に水を引いたY_1を相手として、用水差止を請求して起した訴訟に、Xが用水権は自己にあることを主張してその確認を求めるために主参加をした。

「……被上告人三名ニ対シ一様ニ本件用水権ノ確認ヲ求ムルコトヲ目的トスル訴ニシテ総テノ被上告人ニ対シ同一趣旨ノ判決ヲ受クルニアラサレハ訴訟ノ目的ヲ達スルコト能ハサルコト明カナルヲ以テ本訴ハ」合一にのみ確定すべき場合である（大判大八・一二・二六民録二五・二四一九、新聞一六六八）。

なお下級裁判所の判例をあげておこう。

【68】　鏑木川本流の共有分水権者の一部が用水堀の分水権者等を被告として本流と用水堀とに分流させる水量の確定を訴求したのは、このような訴は権利の保存行為でなく処分行為であるから、全員が共同原告たるべきであるという理由で不適法である（前橋地判大一四・四・一七新聞二四〇三・五）。

【69】　一つの用水路の水掛地が多数ある場合には各水掛地の所有者の有する用水権は土地所有権に従属する純然たる各個独立の私権であるから、樋管より下流にある用水権者が樋管の勾配を自己に有利にするべきことを求める訴は固有必要的共同訴訟ではないが、給付は単一不可分であるから合一確定の必要はある（神戸区判大一〇・三・三一新聞一八七一・二〇）。

【70】　「原告等主張の小間口から引湯される温泉につき共同で小間口の権利を有する被告等に対し、原告等が右小間口に附着する屋敷湯の共同権利者であることを主張して、本件分湯桝において被告側の分湯使用し得べき温泉量一・八一八に対し原告側が一の割合で分湯使用権を有することの確認を求める」訴訟は「その訴訟の目的が共同訴訟人である被告等全員について合一にのみ確定すべき場合に該当する」（前橋地判昭三一・七・一七下級民集七・一九三二）。

（三）　合有、総有　　共有以外の共同所有の関係としては、合有と総有とが考えられるが、実際の問題としてはある実体関係が例えば合有であるかどうかということが問題となるわけで、したがつて本稿では合有ないしは総有と構成することが考えられうる実体関係をそのままとりあげることにする。

(a)　組　合

【71】　XYA三名の組合において契約解除を理由としてXがYに対し組合契約不存在の確認を訴求した。
「民法上ノ組合ハ契約ニ依リテ成立存続スルモノニシテ組合員全員ヲ斉シク拘束スル契約ノ存在換言スレハ数人ヲ規律スル単一ナル法律関係ノ存在ヲ前提トスルモノナルカ故ニ若組合員ノ一人ニシテ組合ノ存在又ハ不存在ノ確認ヲ求メムトセハ必ス他ノ組合員全員ニ対シテ訴訟ヲ提起シ以テ組合員全員ヲ拘束スル単一ナル法律関係ノ確定ヲ要求スヘキモノトス蓋若然ラストセムカ場合ニ依リテハ甲組合員ニ対スル甲訴訟ニ於テハ組合ノ存在ヲ認メ乙組合員ニ対スル乙訴訟ニ於テハ反対ニ同一ノ組合ノ不存在ヲ認メ以テ単一ナル法律関係ヲ二様ニ決スルノ不条理ヲ来スノ虞アルヲ以テナリ然ラハ本訴ハ……所謂固有ノ必要的共同訴訟ニ該当スルモノナルヲ以テ……」（大判昭三・六・二一民集七・四九三、新聞二九二三）。

【72】　大判昭七・一二・一四は固有必要的共同訴訟の例として「組合財産ニ関スル訴訟ニ於テ組合員ハ共同シテ原告トナリ又ハ被告ト為ルコトヲ要スル」（後掲【92】【124】と同一事件）ことを挙げている。

【73】　XA両名の組合がありこの組合財産たる建物の名義がY名義になつているのでこのY名義の所有権移転登記の抹消をXが訴求したがYは【72】大判昭七・一二・一四を引用してAも原告となるべきだと争つた。
「所論のように組合財産が理論上合有であるとしても、民法の法条そのものはこれを共有とする建前で規定されており、組合所有の不動産の如きも共有の登記をするほかはない。従つて解釈論としては、民法の組合財産の合有は、共有持分について民法の定めるような制限を伴うものであり、持分についてかような制限のあることがすなわち民法の組合財産合有の内容だと見るべきである。そうだとすれば、組合財産について

は、民法六六七条以下において特別の規定のなされていない限り、民法二四九条以下の共有の規定が適用されることになる。

ところで、ある不動産の共有権者の一人が、その持分に基き、当該不動産につき登記簿上所有名義者たるものに対して、その登記の抹消を求めることは、妨害排除の請求に外ならず、いわゆる保存行為に属するものというべきであるから、民法における組合財産の性質を前記の如く解するにおいては、その持分権者の一人は単独で右不動産に対する所有権移転登記の全部の抹消を求めることができる筈である（昭三一・五・一〇第一小法廷判決参照）」（最判昭三三・七・二二民集一二・一二・一八〇五）（引用された判例は【26】）。

下級裁の判例をあげよう。

【74】二〇名の組合員中二名が組合規約に違反したので他の一八名がこの二名に対し規約の定める違約金の支払を訴求した事案につき合一確定の必要を肯定した（東京控判大六・一一・三〇評論六民訴四四六）。

【75】三名から成る組合の全員が組合の商号を用いて原告に振出した約束手形の手形金の支払を訴求する事案につき、右三名のなした手形振出行為が一個で原告の取得した手形債権も一個という理由で合一確定の必要を肯定した（大阪地判明四一・九・一二新聞五二九）。

(b)　共同相続　これについてはすでに(3)でとりあげた。ここでは、なお、残された諸場合をとりあげる。

なお事実関係は明らかでないが、留保財産に付き数人の遺産相続人が相続人に対し所有権を主張しその帰属者を争うのは結局目的物に対する妨害を排除しようとするもので妨害の排除は畢竟保存行為の一場合であるから共有者の各自は単独でこれをすることができその訴訟は数人でした場合に通常の共同訴訟であるとする判例がある（大判大一二・四・一七評論一二民三〇五）。

【76】「本訴は控訴人等の先代Ａの死亡後は控訴人等の共同相続し未分割の農地につき控訴人三名を共同訴訟人として、被控訴人農業委員会に対しては農地買収計画の取消、被控訴人国に対しては同計画の無効の確認を求むる訴訟であることは」明白だから「訴訟の目的が共同訴訟人の全員について合一にのみ確定すべき固有の必要的共同訴訟である」（大阪高判昭三二・四・三〇民集一〇・三・一九〇）。

【77】地上建物の共同相続人に対する建物収去土地明渡請求について、訴訟共同の必要は共同相続人が原告となる場合であり、共同相続人を被告とする場合には、全員を相手にする必要はない（鳥取地判昭三四・一二・二五下級民集一〇・二七六九）。

つまり、この判決は、訴訟共同の必要を否定している。

【78】ＡはＸから土地を賃借しその上に建物を所有した。Ａは賃貸借終了にもかかわらず土地を明渡さないまま死亡した。Ａの建物はＹとＢが相続した。ＸはＹに対し建物収去土地明渡の訴を起した。

「……本件甲建物は、右両名の合有に属すべきものといわねばならない。されば、本訴は、右両名の共同相続人に対し、訴訟にかかる権利関係が合一にのみ確定すべき所謂固有の必要的共同訴訟に該当すること明かである。……この点を看過し右Ｂを除外してＹのみを相手取つて提起された本訴は、すでに、この点において失当……」「ＸのＹに対する請求は当事者適格を欠く訴として棄却すべく、……」請求棄却（福井地判昭三五・一一・七下級民集一一・一一・二三八七）。

【79】妻あるＸが子を被保険者かつ保険金受取人とする生命保険契約をＹと締結したところ子が死亡したのでＸがＹを被告として保険金支払を訴求した。

「Ｘハ妻ふじト共ニ遺産相続ニ因リ右債権ヲ承継シ遺産ノ分割ニ至ル迄之ヲ共有スヘキ筋合ナリ而シテ本訴カ右債権ニ付キ消滅時効中断ノ目的ヲ以テ提起セラレタルモノニ非サルコトハ其訴旨ニ照シ疑ナキカ故ニ本訴ヲ以テ同債権ノ保存行為ト云ヒ得サルヤ勿論ナレハ該遺産ノ分割アリタル事実ノ徴スヘキモノナキ本件ニ於テハ共有者ノ一人タル原告ノミヨリ斯カル訴ヲ提起シ得ヘキモノニ非サルコト」明白で「原告一人ノミ

ニテハ原告タルヘキ適格ナキモノト云ハサル可カラス」(京都地判年月日不明大四(ワ)一五四評論五民法五〇二)。

【80】Y女はAを相手方として財産分与調停を申立てた。調停調書作成後Aは死亡した。Aの相続人Xほか五名はYに対し調停無効確認請求訴訟を起した。第一審ではXほか五名の請求が一部認容。Xら控訴。控訴棄却。Xら上告。上告理由不記載上告理由書不提出により上告却下。Xら五名の訴訟代理人はYを相手方として再審の訴を起した。ところがXら五名のうち一名飯山志まについては訴訟代理権の証明ができず追認もえられなかつた。再審請求棄却。

「……右調停無効確認請求の訴訟、調停の一方の当事者であるAについて調停の成立当時存した事由を主張して調停の有効な成立自体を争うものであり、Aの死亡後同人の地位を承継した相続人においてこれを追行するにはその全員によつてのみはじめてすることのできるいわゆる固有の必要的共同訴訟に属する。

もともと、再審の訴は、……。それは本来の上訴とは異なるものがあるとはいえ、判決に対する不服の訴である点で上訴に類似し、いつたん終結した訴訟手続の再開を求める点でその訴訟に付随している。このような再審の訴の目的および性質からすれば、再審の対象となる確定判決にかかる訴訟が必要的共同訴訟である場合は、その共同訴訟人のあるものが再審の訴を提起すれば、その効力は、その余の共同訴訟人に及ぶものと解するのが相当である。

したがつて、本件において、前示のとおり飯山志まが自ら再審の訴を提起したことを認めることができないけれども、その余の再審原告らによる再審の訴提起の効力は、再審の対象たる確定判決にかかる本件調停無効確認請求控訴事件においてこれと必要的な共同訴訟人の関係に立つ飯山志まに及び、これを再審原告とならしめるものということができる」(東京高判昭三六・一二・七民集一四・九・六五三)。

【81】XはAから田地を買受け、Aは田地所有権移転について県知事に許可申請手続をしてその許可を得たうえXにその所有権移転登記をすることを約した。Aが死にY₁Y₂Y₃が相続した。XはY₁Y₂Y₃に対し許可申請をなすべきことを訴求した。第一審ではY₃はXの請求を認諾しその旨調書に記載されたがしかし被告とし

て扱われた。Xの請求認容。$Y_1$$Y_2$控訴。$Y_3$は控訴人として扱われた。原判決取消、$Y_1$$Y_2$に対する請求棄却、$Y_3$に対する訴訟は、認諾により終了。

「本訴は果して控訴人ら三名につき訴訟の目的が合一にのみ確定しなければならない事案であろうか。……（ここで必要的共同訴訟の場合についての通説をのべて――筆者）……本件訴訟の目的が合一確定すべきものかどうかは結局この控訴人ら三名の義務履行の関係自体に合一確定すべきものとして特殊の扱をなすべきものがあるかどうかである。……（ここで許可申請の義務の性質を論じて――筆者）……

以上控訴人ら三名の許可申請の意思の陳述を求める本件訴訟手続にはとくに三名共同しなければ訴えることができない性質のものがあり、特殊の扱をしなければならないものとする法律的根拠を発見することができない。

従つて本件の事案は固有必要的共同訴訟に該当する場合ではない。また控訴人ら三名の一名に対する判決の既判力が当然に他の控訴人らに及ぶべき法律的根拠もなく、各共同訴訟人に対する判決の既判力が法律上牴触するようなことの起り得る場合でないことも明らかであるから類似必要的共同訴訟に該当する場合でもないものと解するのを相当とする」（仙台高判昭三六・九・一三下級民集一二・九・二二五四）。

(c)　信　託

【82】　数人の受託者のうちの一名が信託された不動産につき時効消滅による債権及び抵当権の不存在確認と抵当権及び所有権取得登記の抹消を訴求した事案につき大判昭一七・七・七（新聞四七八五・一五）は数人の受託者の訴訟共同の必要を次の理由で肯定した。

「……信託行為ニ於テ受託者数人アルトキハ信託財産ハ其合有ニ属シ信託行為ニ別段ノ定アル場合ヲ除ク外信託事務ノ処理ハ受託者共同シテ之ヲ為スコトヲ要スルコトハ信託法第二十四条ノ規定スル所ナリトス而シテ玆ニ合有トハ民法所定ノ共有ト其性質ヲ異ニシ各受託者ハ持分ヲ有セス従テ分割請求権ヲ有スルコトナク信託財産ハ不可分的ニ受託者全員ニ帰属スルモノナルカ故ニ数人ノ受託者カ信託財産ヲ合有スル場合ニハ

信託財産ノ使用収益管理処分ニ付テハ勿論信託財産ニ関スル保存行為ト雖モ総員共同シテ之ヲ為スコトヲ要スルモノト解スルヲ相当トスヘシ」（大判昭一七・七・七新聞四七八五・一五）。

本件については、保存行為であつても共同受託者の一人で行なうことは許されないかという問題と、本件のような訴提起は保存行為になるかという問題とがある。右判決は前者の問題に対し許されないと答えたのである。信託の場合には、共有の場合と同じように、不可分債権者的地位は考慮の余地は全くないのであろうか。

(d)　入会（山林原野の共同利用について【58】をも参照）　大字の住民数十名が郡と大字とを被告として大字所在の山林に対し大字の住民という資格で入会権を有することの確認を訴求した事案につき大判明三九・二・五（民録一二・一六五）は入会権が村民又は区民たる資格に基づく場合においては住民のうちその権利を放棄又は喪失したものを除けば住民全体が均一の権利を有して権利を得るものと得ないものとがあるというような不同はないという理由で合一確定の必要を肯定した（同型の事件について大判明四四・五・二九民録一七・三四八が同趣旨である）。

数十名が数十名に対し入会権行使地境界確認と立萱刈取禁止とを訴求した事案（二個の隣接する入会地のそれぞれの利用者間の争のようにみえる）につき大判大五・八・二三（新聞一二〇〇・二五）は（上告をいれ）（理由を示さず）合一確定の必要を肯定した。

ところが、Y外数名が海岸において寄藻を採取する権利がないのにも拘らずあると主張して寄藻の採取を企て、X外数名が三部落の住民として古来の慣行により認容された右海岸の寄藻採取権と称する一種の入会権を侵害される恐れがあるという理由でX外数名がY外数名を被告として被告等に寄藻採取権がないことの確認と被告等が寄藻を採取しない不作為とを訴求した事案につき【83】大判大一五・六・一（新聞二五六〇・五）は次の理由で原告についても被告についても必要的共同訴訟たることを否定した。

【83】「他人カ不当ニ或ル権利又ハ法律関係ノ存在ヲ主張スルトキハ其ノ不存在ノ確定ニ付即時ニ確定セラル可キ法律上ノ利益ヲ有スル者ハ実質上ノ訴権ヲ有スルモノナルカ故ニ其ノ者カ他人ト共同シテ有スル権利関係ニ付或ル者ノ不当ナル法律関係ノ主張ニ依リ権利保護ノ利益ヲ生シタル場合ナリトスルモ其ノ権利又ハ法律関係不存在ノ確認請求ハ共同者ノ権利ノ処分又ハ共同者ノ権利全体ヨリ生スル権能ノ行使ニ非サルヲ以テ共同権利者ノ各人ハ独立シテ訴権ヲ有スルモノト為ササル可カラス……」（大判大一五・六・一新聞二五六〇・五）。

また、X外数名が部落民としてY所有の山林に対し入会権を各個に有することの確認をX外数名がYを被告として訴求した事案につき大判昭一五・五・一〇（新聞四五八〇・八）は事案の入会権は地役の性質を有する入会権で共有の性質を有する入会権でないという理由で訴訟共同の必要を否定した。

【84】係争山林原野についてある大字の住民等が各自が有する共有の性質を有する入会権あることを共同して他の大字の住民等に対し確認を求める訴訟は合一確定の必要がある訴訟である（盛岡地判昭二二・四・二二新聞二七三三・一四）（同型の事案につき同旨の盛岡地判昭五・七・九新聞三一五七・一一がある）。

【85】本件土地は西明寺部落住民全部の総有に属する入会地であった。ところが大正一二年西明寺村の村有となった。そして部落民八八名に賃貸された。しかし、その実体は、部落民全体の入会権を八八名を全体のための名義人とする賃借権と称したものであった。しかし、八八名のものと、部落民であって八八名中に入らないものとの間に入会地利用関係において事実上優劣がつきはじめた。そのうちに昭和二九年本件土地は右八八名に払下げられ所有権移転登記がなされた。そこで右八八名に入らないものが右八八名に入るものを相手にして、入会権確認の訴を起した。被告は次のように抗弁した。

(1) 入会権確認の訴訟は、入会権者全員が当事者となるべき必要的共同訴訟であるのに、原告が旧西明寺部落居住の世帯主全員を包含していない。(2) 被告らは九八名の共有で、原告らの請求は右共有地について地役的入会権の確認を求めるものであるから共有者全員を相手とすべき必要的共同訴訟であるのに、その一部しか相手としていない。

「(1)　抗弁(1)について

入会権の性質は所謂総有であつて、個々の入会権者は入会団体の構成員たる資格においてのみその権利を有するのであるから、これを個々に処分し得ないものであることはいうまでもない。しかし、入会権の行使を妨害し、又はこれを否認する第三者がある場合には、これに対しては、個々の入会権者が妨害排除又は入会権確認を求める訴を提起できるものと解すべきである。それは、民法二五二条但書の趣旨により明らかである。もしそうでなければ、多数の入会権者中の一人でも反対すれば妨害排除の訴も入会権確認の訴も提起できないことになり、権利の保全はほとんど不可能となるからである。従つて、本訴は所謂固有の必要的共同訴訟に属しないから、原告らが入会権者全員を網羅していないとしても、本訴は不適法でない。故に抗弁(1)は、その主張自体理由がない。

(2)　抗弁(2)に対する判断

(中略)

次に、原告らの第二次的主張は、地役的入会権の確認を求めるにあるが、これまた必ずしも共有者全員を相手とすることを必要とするものではない。共有とは、各共有者の持分権としての同一物に対する所有権が競合し併存する状態に過ぎないのであるから、共有者のうち他物権の存在を争う者があれば、その者に対してその権利の確認を求めることができるはずであり、他の者と抱き合わせでなければその訴が不適法となるということは有り得ないからである。……その争う者だけを相手として当該他物権の確認を求めれば足り、これを認めて争わない者までも相手として紛争にまき込む必要も利益もないことは明らかであろう。土地の共有者に対する他物権の確認を求める訴訟が、固有の必要的共同訴訟でないことは、右の設例からも容易に理解できることである。従つて、抗弁(2)も理由がない」(秋田地大曲支部判昭三六・四・一二下級民集一二・四・七九四)。

(ホ)　その他

(a)　連帯債務　合一確定の必要を否定する判例が多い。

【86】　受負金請求の事案について「連帯債務ノ場合ニハ其債務者中ノ或者ニ義務アリテ或者ニ義務ナキコトアルヲ以テ権利関係ノ合一ニノミ確定スヘキ訴訟ニ非サルカ故ニ……」(大判明二九・四・四民録二・四・一三)。貸金請求事件につき、大判明二九・一〇・二四民録二・九・九七も、被告二名に金銭債務があることの確認を求めた事件につき、大判明三九・六・八民録一二・九四二も、合一確定の必要を否定している。

しかし、連帯債権については、合一確定の必要を肯定する判例がある。

【87】　AY間の取引残額金をAから譲り受けたX_1X_2がYに対しその支払を訴求した。「本件ハ被上告人カ共同シテ上告人ヲ相手取リ同一ノ債権ノ履行ヲ求ムルモノニシテ実体上ニ於テハ之ヲ分割シ得ヘシトスルモ共同訴訟トシテ裁判所ニ係属シタル以上ハ其ノ結果ハ合一ニノミ確定スヘキモノ……」(大判大二・三・三民録一九・一二五)。

【88】　XAとYとの間の契約上の債務の履行をXが単独で訴求した事案につき、「本件契約ハ一箇ニシテX並ニAハYニ対シテ所謂共同債権関係ニ立ツモノト認ムヘキカ故ニXハ右Aト共同スルニ非スンハ相手方ニ対シ債務ノ履行ヲ請求スルヲ得サルモノ……」としている(東京地判大一二・五・九新聞二三一一・一七)。

(b)　数名に対するまたは数名の損害賠償請求

【89】　数人の官林盗伐者が刑の言渡を受け同時に私訴についても連帯して賠償すべき旨判決を受けた。このうち一部の者だけが控訴して、公訴私訴ともに利益の判決を得た。そこで控訴しなかった残余の者が、自分たちについても控訴の効力が及んだと主張したらしい。大審院は控訴した者としなかった者との間における合一確定の必要を否定し、「何トナレハ本件損害賠償ノ原因タル犯罪行為ハ官林盗伐ニシテ其罪質上必ス

シモ数人共犯ヲ要スルモノニアラス又被上告人カ提起セシ私訴ノ目的ハ損害要償ニ在レハ其金額タル不可分的性質ノモノニ非サレハナリ」（大判明二八・一一・二二民録一・四・八）。

【90】講員数名が世話人に対し損害賠償を訴求した。

「委任契約ニ基キ世話人カ講会ヲ開キ当籤者ニ講金ヲ掛戻スヘキ義務ハ自己以外ノ講員ニ対スルモノナリト雖モ其ノ義務ノ履行ヲ怠リタル為損害ノ賠償ヲ為スヘキ義務ハ不可分債務ニ非サルヲ以テ各講員ハ自己ノ部分ニ付単独ニ其ノ権利ヲ行使スルコトヲ得ヘク世話人以外ノ総講員ノ共同ニ依ルニ非サレハ之ヲ行使スルコトヲ得サルモノト謂フヲ得ス」（大判大一三・三・七新聞二二五三・二二）。

【91】特許権の侵害があつた場合「特許権の各共有者は、各自その持分に応じ損害の賠償を求めうるので、損害賠償請求権は特許権とは全然独立の別個の権利で、特許権が不可分でも、損害賠償請求権は可分である」といつている（東京控判大八・一〇・二四評論八民訴六〇三）。

(c)　保証債務

【92】「主タル債務者ト保証人トカ共同被告トシテ債権者ヨリ訴ヲ受ケタル場合ニ於テ理論的ニハ主タル債務ノ存スルト云フコトニ付判断ノ合一ニ帰セサルヘカラサル場合」は訴訟共同の必要のない場合である（大判昭七・一二・一四新聞三五一一・一一【72】【124】と同一事件）。

さらに、【93】最判昭二七・一二・二五（民集六・一二・一二五五）は主たる債務者と連帯保証人とを共同被告として訴が提起された場合について、次のようにいつている。

【93】「主たる債務者と連帯保証人とを共同被告として訴が提起された場合でも、主債務者と保証人との間に権利関係が合一にのみ確定しなければ訴の目的が達せられないものではないから、所謂必要的共同訴訟には当らない」（最判昭二七・一二・二五民集六・一二・一二五五）。

訴の目的という言葉の意味するところにおいて、古い判例との間にずれがある点は注目されるべきである。

(d) 共同占有

【94】 賃貸人Xが共同賃借人YAのうちYに対し賃貸借の目的物の返還を訴求した。「本訴ハ賃貸借ノ解除ヲ請求スルモノニ非スシテ解除ニ因ル賃貸借ノ終了ニ基キ賃貸物ノ返還ヲ請求スルモノナリ賃貸物ノ返還ハ共同賃借人全員ニ対スルニ非サレハ之ヲ請求スルコトヲ得サルモノニ非ス各賃借人ハ賃貸人ニ対シ賃借物全部ヲ返還スルノ義務ヲ負担スルカ故ニ賃貸人タルXカ共同賃借人ノ一人タルYノミヲ被告トシテ賃貸物ノ返還ヲ訴ヘタルハ正当ナリ」(大判大七・三・一九民録二四・四四五)。

【95】 Y_1Y_2が連帯名義でXのために期間を限つて土地を保管し期間経過後にXに返還する契約をなしその目的で所有名義人となつている場合にこのY_1Y_2に対しXが右土地の返還と登記名義書替を訴求した事案につき「Y_1Y_2ハ各其持分ニ関シ共ニ処分権ヲ有スル而已ナラス性質上決シテ合一ニノミ確定スヘキモノニ非ス」という上告理由を容れず、「本事件ノ権利関係ハ之ヲ分割シテ箇々ニ之ヲ確定セシメ得ヘキ性質ノモノニ非ス」という理由で合一確定の必要を肯定した(大判明三五・一〇・一五民録八・九・八七)。

【96】 Y_1Y_2に誤つてXが交付した公正証書の正本の返還をXがY_1Y_2に対し訴求した事案につき「同一ノコトヲ原因トシ性質上分割スヘカラサル一ノ公正証書正本ヲ」両名から返還することを求めているという理由で合一確定の必要を肯定した(大判明三九・六・八民録一二・九四二)。

今日なら不可分債務と構成されて合一確定の必要を否定されるところであろうか。前掲【51】大判大一二・二・二三参照。

(5) 身分関係訴訟

（イ）　実親子関係訴訟

(a)　子　対　親

【97】　子が提起する嫡出親子関係存在確認の訴について大判昭四・九・二五は次の理由で父母を被告とする必要を肯定した。

「父母ト其嫡出子トノ間ニ存スル法律関係ハ其判決ニ於テ常ニ合一ニノミ確定セラルルコトヲ要シ、父ト子トノ間ニ嫡出子ノ関係アルモ母ト子トノ間ニ同一ノ関係之ナシト云フカ如キ別異ノ法律関係存在スルコトヲ許ササルノミナラス右ふさ（母）が縦令裁判所ニ於テ上告人（子）ノ主張事実ヲ認メテ争ハサルモノトスルモ之ニ基キテ直チニ戸籍簿ノ訂正ヲ求ムルニ由ナク、必スヤふさニ於テモ被上告人（父）ト同様上告人カ自己ノ嫡出子タルコトノ判決ヲ受クルコトヲ要スル次第ナレハ……」（大判昭四・九・二五民集八・一一・七六三）（【100】をみよ）。

【98】「嫡出親子関係確認ノ訴ニ付テハ人事訴訟手続法中ニ何等ノ規定ナク従テ該訴訟ノ当事者ニ付テモ亦規定スルトコロナシト雖民事訴訟上ノ理論上及親子関係確定テフ事柄ノ性質上父母及子ノ三者ノ間ニ合一ニノミ確定スヘキ必要的共同訴訟ト解スヘキヲ以テ常ニ父母ヲ相手方トスルヲ要シ（但シ本件ノ如ク母カ死亡シタル後ハ生存セル父ヲ以テ相手方トス）且之ヲ以テ足ルモノト為スヘク其ノ傍系親ニ迄及ホスノ要ナキモノ……」（大阪控判昭一二・二・二三新聞四一一七・一六、評論二六民訴二八五）。

【99】「嫡出子確認ノ訴ノ相手方タルヘキ適格者ノ何人ナルヤニ付テハ民法及人事訴訟法上何等規定スルトコロナシ然レトモ本案裁判ノ結果如何ニヨリ直接自己ノ身分上ノ地位ニ重大ナル影響ヲ及ホシ親子関係ノ存否ハ勿論相続権ノ有無ニ消長ヲ来スヘキモノナルカ故ニ原告カ嫡出子タル身分ヲ取得スルト否トニ依リ親族法上若クハ相続法上重大ナル利害関係ヲ有スヘキ父母ハ勿論原告カ嫡出子タルト否トニ依リ相続順位ニ変動ヲ及ホスヘキ傍系親ヲモ其相手方ト為スヘキ律意ナリト解スルヲ相当トス而シテ原告ノ訴旨ニ依レハ原告ハ被告玄之吉カ其妻トノ間ニ於テ未タ正式ニ婚姻セサル以前ニ出生シタル男子ナルモ其後正式ニ婚姻シタルカ為嫡出子タルノ身分ヲ取得シタルモノナリト云フニ在ルカ故ニ必要的共同訴訟トシテ爾父母ヲ相手方トナ

シ不可分的ニ自己ノ身分ヲ確定スルヲ要スヘキハ法理上毫モ疑義ヲ容レサルハ勿論成立ニ争ナキ甲第一号証ノ二ニ依レハ右玄之吉夫婦間ニ於テハ原告ノ為姉妹タルヘキキチ及あさノ両名存在セルコト明白ナルヲ以テ右両名ヲモ亦本訴ノ相手方ト為スコトヲ要スヘキハ固ヨリ論ヲ俟タス」然るに原告は実母とく及びキチあさの両名を除外し、玄之吉及び僭称私生母ゐい並びにきちの婿養子寿英雄だけを相手方として訴を起したからこれは不適法（水戸地土浦支部判昭三・九・二九新聞二八九六・九、評論一八諸法三〇八）。

(b)　親対子

【100】　父Xが戸籍上嫡出子とされている子Yを被告として、Yは実はXの腹ちがいのきょうだいであるという理由で、親子関係不存在確認の訴を起した。

「……戸籍上父母及其子トシテ記載セラレタル者ノ中其父ト子トノ間ノ親子関係カ存在セサルコトヲ確定スルニ付テモ此三者ヲ訴訟当事者トシテ三者間ニ劃一的ニ之ヲ確定スルコトヲ要シ……」（大判昭一九・六・二八民集二三・四〇二）（前掲【97】大判昭四・九・二五を参照している）。

右の判例は、母を共同原告とすべきか共同被告とすべきかについては母が父方を逃亡し所在不明であつて母を共同原告とすることができない状況にあつても共同被告として訴求することができるから母を除外すべきでないとしている。では父母の一方が死んでいる場合はどうか。

【101】　YについてはXとA（Xの亡夫）の間の嫡出二女として出生届がされていた。実はAの妹BとCとの間に生れた婚姻外の子であつた。しかし、B女の父及びAはYの将来を考え、Aが養子として育てることにして右のような届出をした。Aの死後XからYはXA間の子でないとして、嫡出親子関係不存在確認の訴を提起した。

「嫡出子関係は父母と子の三者の間の関係であるから、右戸籍上の父母が何れも生存する限りにおいては、以上三者は最も緊密なる利害関係者として当該訴訟の当事者（即ち戸籍上の父母対子）として相対立関与することを至当とするけれども、右父母何れか一方の死後においては、その生存一方の者と子との間において尚親子関係不存在確定の利益がある以上、右訴を提起し得るものと解さなければならない……」（最判昭二五・一二・二八民集四・七〇一）。

(c)　ＡがＢＣ間の親子関係を肯定又は否定する場合

【102】「ＹトＡトノ親子関係ノ確認ヲ求メントセハ須クＹトＡトヲ共同被告トセサル可カラサルニＸハＹノミヲ被告トシテ本訴ヲ提起シタルモノナレハ其親子関係ノ確認請求ノ失当ナルハ勿論……」（大阪控判大七・三・一四新聞一三八七）。

【103】利害関係人の提起する認知無効の訴の場合に「何人ヲ其訴ノ相手方ト為スヘキヤニ付テハ人事訴訟手続法二条ノ如キ特別ノ名文ナク尚民法八三四条ハ控訴人所論ノ如ク其相手方ヲ認知者ノミニ局限シタル趣旨ナリトモ解シ難キヲ以テ原則トシテハ認知ノ無効ヲ主張セラルルニ付直接反対ノ利害関係ヲ有スル認知者及被認知者ヲ相手方ト為シ若シ其一方カ死亡シタルトキハ生存スル他ノ一方ノミヲ相手方ト為スヲ以テ民法及人事訴訟手続法ノ律意ニ副フモノト謂フヘク尚右ノ訴ハ認知ノ無効ヲ理由トシ之ニ基ク親子関係ノ不存在ヲ確定スルコトヲ目的トスルモノナルカ故ニ確認訴訟ノ形式ニ依ルヘキモノナルコト蓋シ疑ヲ容レス」（東京控判大一〇・八・二八新聞一九二三）。

【104】亡夫が認知した子を被告として妻が認知無効の確認を訴求した。

「此ノ訴ハ法律上ノ親子関係ナキコトノ宣言ヲ求ムルコトヲ目的トスルモノニシテ認知取消ノ意思表示ヲ求ムルモノニアラサルヲ以テ子カ原告タル場合ニ於テハ認知ヲ為シタル父又ハ母ヲ被告トシ子以外ノ利害関係人カ原告タル場合ニ於テ既ニ認知ヲナシタル父又ハ母ノ死亡セルトキハ認知ヲ受ケタル子ヲ被告ト為スコトヲ得ヘキモノト解スヘキモノナルヲ以テ……」（大判大一一・三・二七民集一・一三七）（なお「認知無効ノ訴ハ其性質創設ノ訴ニ属ス」といつている）。

【105】生母が自分の生んだ子を認知した男を被告として認知の取消を訴求した（民法旧八三四条）。

「父及子ノ生存セル場合ニ於テハ其双方ヲ被告ト為スヘキモノト解スヘキモノトス蓋認知ハ父ノ為ス単独行為ニ属スレトモ認知ヲ無効ナリトスル宣言ハ絶対的ニ認知ヲ無効トシ認知者ト被認知者トノ間ニ親子関係ナキモノトスルモノニシテ認知者及被認知者ノ双方ニ付重大ナル関係ヲ有スルモノナレハナリ……大正一一年三月二七日本院ノ言渡シタル判決モ亦此ノ趣旨ニ出ルモノナリ」（大判大一四・九・一八民集四・一二・六三五）。

【106】「……第三者カ子カ父母ノ嫡出子ナリヤ否ニ付キ確認ノ訴ヲ提起スル場合ハ右三者全部ヲ相手方トスルコトヲ要スト雖モ右三者中既ニ死亡セル者アルトキハ之ヲ相手方トスルコトヲ要セスシテ生存者ノミヲ相手方トナスヘキモノ……」で「検事ヲモ相手方トナスヘキモノニアラス」（福島地白河支判昭一四・一二・一三評論二九民訴二二〇）。

(d)　AがBC間の親子関係を否定して自分が親であると主張する場合

【107】生母が戸籍上の母を被告として戸籍記載の親子関係を否認し子が自己の私生子であることの確認とその子の引渡とを訴求した。

戸籍上の母に対して確認請求をしたのでは足りず、「子タルソノヲ共同被告トナシソノ自身ヲシテ被上告人ノ私生子タルコトヲ確認セシムルコトヲ要ス何トナレハ私生子タル身分関係ヲ確定スルニハ認知ノ方法ニ依ラサル場合ト雖モ子ヲシテ之ヲ確認セシムヘク戸籍上母タル上告人ヲシテ確認セシムルヲ以テ足ルヘキニ非」ず（大判大五・九・六民録二二・一六八一）。

【108】「Xノ本訴……ノ趣旨ハY_1ハ訴外A及ヒY_2女ノ間ニ出生シタル長男ナルカ如キ戸籍ノ記載存スルトコロY_1ハXノ私生子ニシテXハY_1ニ付昭和五年六月九日Xノ私生子トシテ認知シタルトコロナルヲ以テY_1カXノ私生子ナルコトノ確定ヲ求ムト謂フニ在ルトキハ」Y_1 Y_2の全員に合一にのみ確定すべき場合である（長崎控判昭八・一一・二五新聞三七〇〇・七、評論二三民訴三〇）。

（ロ）　養親子関係訴訟

【109】妻のある男が戸籍上縁組によつたことになつている子を被告として縁組の無効を訴求した。

「法律ノ精神ハ配偶者アル者ノ為シタル養子縁組ニ因リテ生シタル当事者間ノ親子関係ハ配偶者ノ一方ノミニ付テ消長スルコトヲ得セシメサルニ在ルコトハ自ラ明ナレハ本訴ノ如キ養子縁組無効ノ訴ハ配偶者ノ一方ノミノ意思ヲ以テ提起スルヲ得サルモノ……」（大判明三六・一一・二〇民録九・一二八）。

【110】　養親Y_1（Xの叔父）と養子夫婦A（Xの弟）Y_2の一方Aとを共同被告として縁組無効の勝訴の確定判決を得た戸主Xが養子夫婦の他の一方Y_2と養親Y_1とを共同被告として縁組無効を訴求した。

共同養子縁組無効確認の訴は「必スヤ養親ト共ニ養子タル夫婦双方ヲ被告ト為スヘク」所謂固有必要的共同訴訟で「若シ養親ト共ニ夫婦ノ一方ノミヲ被告トシテ斯カル訴ヲ提起スルニ於テハ当事者適格ナキ被告ヲ相手方トスル訴ナリトシテ到底排斥ヲ免レ」ない。この当事者適格の欠缺が看過されて縁組無効の本案判決が確定しても、その判決は無効である（大判昭一四・八・一〇民集一八・八〇四）。

判民昭和一四年度五六兼子評釈によれば、民法八四一条第一項「の場合には第八五六条の適用はなく、夫婦の一方に付て縁組無効の原因（八五一条一号）あるときは、他方に付ても縁組の無効を来たすと為す従来の判例（昭四・五・一八民集八巻四九四頁、判民（穂積・賛成））を前提とする限り当然な結果である。蓋し縁組の効力を夫婦を一体として決しなければならぬとすれば、無効の訴の判決も夫婦に対して一挙に下されねばならぬからである。

併し私は其の前提に対して若干の疑問を抱く。……」

【111】　「養子ヨリ起ス縁組無効ノ訴ニ於テハ養親ヲ相手方トス可キモノニシテ若シ其養親カ養父及養母ノ二人アルトキハ其双方ヲ被告トスヘキコト明ナリ」養親の一人が養家を去つたときはその者と養子との間には養親子関係がなくなるから、この者を被告とする必要がないようにみえる「然レトモ飜ツテ考フルニ養子縁組ノ無効ヲ宣言スル判決ハ其効力ヲ既往ニ及ホスモノナルヲ以テ養家ヲ去リタル養親ト雖其訴ニ於ケル原告ノ主張ヲ争フニ付キ正当ノ利益ヲ有スルモノト云ヒ得ルノミナラス若シ叔上ノ如キ解釈ヲ採ルトキハ養親ノ双方カ相共ニ養家ヲ去ルニ至リタルトキ又養子ハ全ク被告ト為スヘキモノヲ失フコトトナルヘシ」人訴二条三条は相手方とすべき者が死亡した場合の規定だから準用できない（大阪控判大六・六・八新聞一二七九）。

第三者が縁組無効訴訟を提起するには養親と養子との双方を共同被告とすべきであろう。第三者が養母と共同原告となり（養父死亡）養子を被告として提起した訴は不適法である（大阪地判昭三〇・三・一六下級民集六・三・四八四）。

（ハ）　離縁訴訟

【112】　養親たる夫婦のうち離縁原因を主張する養母が養父と共に離縁を訴求した。

民法八六六条は……「……養親タル夫婦ハ離縁ノ訴訟ニ付テハ共ニ直接利害関係者ニシテ之ニ対スル判決ハ合一ニノミ確定スヘキ場合ナルヲ以テ養親タル夫婦共ニ存スルトキハ共ニ訴訟当事者ト為ルヘキコトヲモ併セテ規定シタルモノ……」（大判明三五・一二・二〇民録八・一一・一二四）。

この考え方を一般化して、大判昭七・一二・一四（新聞三五二一・一二）は、配偶者あるものが配偶者あるものを養子とした場合の離縁訴訟において養親がともに一方の当事者となり養子がともに他方の当事者となることを要すると例示している。

ところが今日では下級審で相反する判例が出ている。養親夫婦が共同当事者となることを必要とするとする判例は仙台地判昭二九・一一・三〇（下級民集五・一一・一九七三）であり、養親夫婦の一方だけが当事者となりうるとする判例は大阪地判昭二九・九・一六（下級民集五・九・一五五九）である。いずれも同じ型の事件である。すなわち養母と養子（男）が仲がよくこれを養父が心よからず思つて離縁を訴求した事案である。

（ニ）　婚姻関係訴訟　　婚姻の無効または取消を第三者が訴求する場合には夫婦を共同被告とする必要があることを固有必要的共同訴訟の例として挙げている判例がある（大判明三九・三・三〇民録一二・四八六、前掲【2】【65】大判大二・四・二四民録一九・二六八)。

(6) その他の訴訟

(イ) 他人間の契約の無効取消解除の訴訟

(a) 民法三九五条の訴　抵当権者が民法三九五条但書により賃貸借契約の解除を訴求する場合には判例によれば賃貸人と賃借人とを共同被告とすることが必要である。

【113】「……該訴訟ニ於テ賃貸借契約ハ解除ノ宣言ニ依リ消滅ニ帰スルモノナレハ」契約当事者間に合一にのみ確定すべきものである(大判大四・一〇・六新聞一〇五七、民録二一・一五九六)。

【114】「民法第三百九十五条但書ノ規定ニ依リ賃貸借ノ解除ヲ命シタルトキハ賃貸借契約ヲ解除セシムルモノナルヲ以テ其ノ関係ハ契約当事者間ニ合一ニノミ確定スヘキモノナルコト論ヲ俟タ」ない(大判昭七・九・三〇新聞三四八二・一五、評論二一民訴五一五)。

【115】「民法第三百九十五条ノ規定ニ依リ裁判所ノ命スル賃貸借ノ解除ハ其ノ当事者ニ対シテ之ヲ宣言スルニ因リ其ノ効力ヲ生スルニ至ルモノナレハ」賃貸人と賃借人は必要的共同訴訟人たる地位を有する(大判昭九・四・一九新聞三七〇一・一一、評論二三民訴一九九)。

しかし右賃貸借の登記の抹消を訴求する場合には賃借人を被告とするだけで足りる(前掲二九頁大判昭九・二・一七)。解除の場合が登記抹消の場合と異なるのは、賃貸借の解除はその当事者に対してこれを宣言することによってその効力を生ずるものであるからである(前掲【115】大判昭九・四・一九)。

(b) 民法四二四条の訴

【116】売買廃罷並に土地名義訂正請求訴訟について、

「被上告人カ秋山平七ナル者ヲ本訴ニ於テ被告ト為ササリシトテ本訴訟ハ初メヨリ成立セサリシモノト謂フヲ得ス何トナレハ契約ノ取消ヲ請求スルニ付其契約ニ関係シタルモノヲ同時ニ被告ト為ササルニ於テハ訴訟ノ成立スルヲ得サルノ理ナク而シテ若シ被告トナラサルモノカ任意ニ取消ノ求ニ応セサルニ於テハ縦令ヒ取消ヲ言渡シタル判決アルモ其契約ノ関係者ヲ悉ク被告ト為ササルノ故ヲ以テ其ノ判決ヲ執行スルコトヲ得サルノ結果ハ本訴ニ付テハ被上告人ニ不利益ニシテ上告人ニハ毫モ不利益ヲ来スヘキ筋合ニアラサレハ本論旨ハ要スルニ上告適法ノ理由トナスニタラス」（大判明二八・一二・二〇民録一・五・一一）。

【117】「債権者カ詐害行為取消ノ目的ヲ達スルタメニハ債務者及之ト行為ヲ為シタル者（受益者、転得者）ヲ相手ト為ササル可カラス而シテ一旦相手トナリタル以上ハ訴訟ノ終局マテ其者ハ相離ルヘカラサルモノタリ何トナレハ詐害行為取消ノ訴ニ於テハ権利関係ハ債務者及ヒ之ト行為ヲナシタルモノニアリテハ各異別ニ確定スルコトヲ許サス其間同一ニノミ確定スヘキモノナレハナリ」（大判明三八・二・一〇民録一一・一五〇、新聞二六七）。

【118】債権者が債務者と受益者とを被告として詐害行為取消の訴を起した。

「本件ハ被上告人ヨリ上告人両名ニ対シテ詐害行為ノ取消ヲ請求スル訴ニシテ其権利関係カ上告人両名ニ対シテ合一ニノミ確定スヘキ案件ニ係レリ……共同訴訟人中ノ或ル人カ争ヒタルトキト雖モ総テノ共同訴訟人カ悉ク争ヒタルモノト看做セハナリ……」（大判明四一・一二・一一民録一四・一二七三）。

【119】「……裁判所カ債権者ノ請求ニ基ツキ債務者ノ法律行為ヲ取消シタルトキハ其法律行為ハ訴訟ノ相手方ニ対シテハ全然無効ニ帰スヘシト雖モ其訴訟ニ干与セサル債務者受益者又ハ転得者ニ対シテハ依然トシテ存立スルコトヲ妨ケサルト同時ニ債権者カ特定ノ対手人トノ関係ニ於テ法律行為ノ効力ヲ消滅セシメ因テ以テ直接又ハ間接ニ債務者ノ財産上ノ地位ヲ原状ニ復スルコトヲ得ルニ於テハ其他ノ関係人トノ関係ニ於テ其法律行為ヲ成立セシムルモ其利害ニ何等ノ影響ヲ及ホスコトナシ是ヲ以テ債権者カ債務者ノ財産ヲ譲受ケタル受益者又ハ転得者ニ対シテ訴ヲ提起シ之ニ対スル関係ニ於テ法律行為ヲ取消シタル以上ハ其財産ノ回復又ハ之ニ代ルヘキ賠償ヲ得ルコトニ因リテ其担保権ヲ確保スルニ足ルヲ以テ特ニ債務者ニ対シテ訴ヲ提起シ

其法律行為ノ取消ヲ求ムルノ必要ナシ故ニ債務者ハ其訴訟ノ対手人タルヘキ適格ヲ有」しない（大民聯判明四四・三・二四民録一七・一一七）。

(c)　他人間の法律関係の無効確認　Y_1 Y_2間の売買の無効確認を訴求するにはY_1 Y_2を共同被告とする必要があるかのような口吻の判例がある（前掲二五頁、大判明四一・四・一一）。

【120】「X等ハY_1先代A及Y_2会社間ノ前示土地建物ノ売買ニ因ル所有権移転登記ノ無効確認ヲ請求シタル訴訟ニシテY_1 Y_2等ニ対シ権利関係カ合一ニ確定スヘキ場合」である（東京控判大一四・五・二〇新聞二四四七・九）。

【121】「YハXノ請求ヲ認諾スト雖モ同一物件ニ付キYト他ノ共同被告等間ニナサレタル売買ノ無効ナルコトヲ主張シ該物件カ原告ノ所有ナルコトノ確認ヲ求ムル本訴ニアリテハ」売主Yと買主たる他の共同被告とに対し「同一趣旨ノ判決ヲ為スニアラサレハ原告Xカ訴訟ヲ為シタル目的ヲ達スルヲ得ス」すなわち合一にのみ確定すべき場合である（名古屋地判大一〇・三・二四新聞一八五二・一八）。

【122】「本件ハXカY_1 Y_2間ノ賃貸借契約及賃借権変更契約カ通謀虚偽ノ意思表示ナル為メ無効ナルヲ理由トシテ之ニ基ク賃借権ノ不存在ノ確認及証書ノ抹消手続ヲ契約当事者タルY_1 Y_2両名ニ対シ請求スル訴ナレハ」Y_1 Y_2に対し合一に確定すべき共同訴訟である「何トナレハ通謀ニ依ル非真意表示ノ有無ハ其孰レトスルモ契約当事者双方ニ対シ必ス同一ノ判断ニ帰スヘキカ故ニ其契約並ニ効果タル賃貸借関係カ一方ニ対シテハ無効ニシテ他方ニ対シテハ有効ナリト云フカ如ク別箇ニ確定スルヲ許ササルノミナラス若シ賃貸借関係カ無効ナラハ其登記ノ抹消申請手続ハ登記権利者又登記義務者タリシ契約当事者双方ノ共同行為ヲ必要トスレハナリ」（大阪区判大四・一一・一八新聞一〇七〇・一七）。

(ロ)　会社関係訴訟

【123】株式の譲受人が会社と譲渡人との間の訴訟に主参加し、会社に対しては配当金の支払を、譲渡人に対しては配当請求権存在の確認を訴求した。

「……株式ノ譲渡当事者間ニ於テハ完全ニ譲渡ノ効力ヲ生シ従テ譲渡人ハ既ニ配当金ノ請求権ヲ云為スルノ余地ナキニ拘ラス右譲渡カ対抗要件ヲ具備セサルカ為メニ譲受人カ株式ノ取得ヲ以テ会社又ハ第三者ニ対抗シ得サルコトアルハ商法第百五十条ノ規定ノ予想スルトコロナルカ故ニ……」合一確定の必要はない（大判昭四・三・二一新聞三〇一六・一三）。

【124】 定款変更無効確認並びに登記抹消請求事件

「……一人ニ対スル判決カ訴訟ノ当事者ニ非サル第三者ニ其ノ効力ヲ及ホス場合例ヘハ会社ノ設立ヲ無効トスル判決カ当事者ニ非サル社員ニ対シテ其ノ効力ヲ及ホスカ如キ……ハ必スシモ数人カ共同ニ訴ヘ又ハ訴ヘラルルコトヲ必要トスルモノニ非ス本件訴訟ハ上告会社カ既存ノ定款ヲ変更シタル行為ノ当然ニ無効ナルコトノ確認ヲ求メ併セテ上告会社ニ対シ右変更ニ基ク登記ノ抹消手続ヲ求ムルニ在ルヲ以テ……上告会社ノ社員ヲ以テ共同被告ト為スノ要ナシ」（大判昭七・一二・一四新聞三五一一・一一【72】【92】と同一事件）。

【125】 Y_1会社及びその株主であり代表取締役であるY_2を共同被告としてY_1会社の増資新株をY_2が引受けた株式引受契約の無効確認を総会の増資決議及び株主平等の原則に違反することを理由としてX等が訴求した。

「……まず株式引受契約が有効であるか否かの問題は要するに株式会社の増資手続が完了したか否かの問題に帰着するが、このような問題は株式会社、その役員及び株主につき別個に確定することが許されないように思われる。……また本訴は右株式につきY_2がY_1会社に対して株主としての権利義務を有しないことの確認……を求めるものであるが、株主の権利特にいわゆる共益権は身分権的人格権的性格を具有し、会社とその構成員たる株主との間の法律関係は組織法団体法上の法律関係であるから、本訴は係争法律関係の当事者以外の第三者がその当事者双方を共同被告として提起する親族法上の身分関係不存在確認訴訟にも類似しているといい得るであろう。……なお本訴は前記株式引受契約が株主総会の増資決議に違反し無効であることを請求原因としており……その条項の解釈だけが争点となつているのであるが、このような総会決議の解釈の問題は、総会決議そのものの適法不適法または有効無効の問題と同様に、会社及びその関係者につき同一に決せられるのが実際上望ましいことである。……」しかし「本訴がY_1Y_2両名を共同被告として訴を提起しなければ訴が不適法として却下される場合にあたらないことは明かである。」「次に仮にX等のY_1会社に対する請求についてY_1敗訴の判決が確定すれば、Y_1は株主名簿の前記記載を抹消しなければならず、しかもそれが抹消せられるにおいてはY_2はY_1会社より右株式の株主でないものとして取り扱われることとなるが、このように共同訴訟人一人に対する判決の効力が反射的に他の共同訴訟人に及ぶ場合もまた前記の共同訴訟人の一人に対する判決の効力が他の共同訴訟人に及ぶ場合にあたるものと解してさしつかえないと思う。しかのみならず、更に本訴において、X等のY_1に対する請求についてY_1敗訴の判決が確定し、しかもX等のY_2に対する請求についてY_2勝訴の判決が確定し、他方、Y_2がY_1を被告として提起した前記株式引受契約の有効確認を求める訴訟において、Y_2勝訴の判決が確定したと仮定すれば、一体株式名簿の記載はいかにすべきであろうか。株主の権利義務はどうなるのであろうか。Y_2は、ある相手方との間においては右株式につき株主でないものとして取り扱われ、他の相手方との間においてはこれにつき株主であるものとして取り扱われなければならないこととなるが、このような取扱は、株主名簿の上から見ても、はたまた会社と株主との間の法律関係の性質から考えても、不可能であることが明白である。されば本訴は、係争法律関係がその性質上各共同訴訟人につき別個に確定することを許さず共同訴訟人の全員につき同一趣旨の判決をしなければ訴訟の目的を達成することができない場合にもあたるものといわなければならない。されば本訴はY_1Y_2につき類似必要的共同訴訟であると断定すべきである（本訴はXら五名についても同様である。）……」（名古屋高判昭三一・八・一八民集九・八・四八三）。

【126】 A会社の株主Xは同会社の取締役Yを相手方としてYの解任を求める訴を起した。訴却下。

「商法第二五七条第三項の訴は少数株主が会社と取締役間に存する委任関係の解消を求める形成の訴と解するを相当とするから、右訴はその委任関係の当事者たる会社と取締役を共同被告としてこれを提起するを要するものと解すべきである。

けだし、第三者が他人間に存する法律関係の変更を求める形成の訴においては、他に特別の規定がない限り、当該判決によつて形成作用をうくべき法律関係がその法律関係の当事者全員に合一にのみ確定するを要するからである」（東京地判昭三二・八・一九判タ七三・九八）。

なお前掲【42】をみよ。

（八）　強制執行関係訴訟

【127】　強制執行の目的物につき所有権を主張する第三者が民訴五四九条の異議の訴を執行債権者のほか右所有権を争う債務者を被告として提起した。

「……債権者ニ対スル請求ハ執行手続ノ違法ヲ理由トシ其排除ヲ目的トスル訴訟法上ノ請求タルヘク債務者ニ対スル請求ハ所有権ヲ原因トスル実体法上ノ請求ニシテ確認又ハ給付ヲ目的トスル訴ニ外ナラサレハ彼是目的原因ヲ異ニシ……必要的共同訴訟ノ性質ヲ具有スルモノト為シ難シ民事訴訟法五四九条一項……ハ同時ニ審理判決ヲナス便宜ニ出テタルモノニ外ナラスシテ常ニ権利関係カ必要上債権者債務者ニ対シ合一ニノミ確定スヘキ共同訴訟ト為スノ趣旨ニアラス勿論本件ニ於ケルカ如ク第三者カ自己ニ所有権アルコトヲ理由トシ強制執行ノ不許ヲ主張スル場合ニ於テ若シ裁判所カ債務者ノ所有権ヲ否定シ第三者ニ係争物ノ完全ナル所有権アルコトヲ認ムルニ於テハ債権者トノ関係ニ於テモ当然同一ノ認定ニ出ツヘク従テ強制執行ノ不許ヲ宣言セサルヘカラサルハ帰納的論理ノ法則上当然ナルカ故ニ斯ル場合権利関係カ合一ニノミ確定スルヲ要スル共同訴訟ノ要素ヲ具備スルモ本件原判決ノ如ク第三者タル上告人ニ所有権アリト仮定スルモ登記欠点ノ理由ニヨリ其所有権ヲ債権者……ニ対抗スル能ハサルモノト為スニ於テハ一方債務者……ニ対シ上告人ノ所有権ヲ認ムルモ他方……ニ対シテハ其為シタル強制執行ヲ適法ナリト為スニ妨ケナカルヘク斯ル場合ハ必要的共同訴訟ノ成立ヲ見ルコトナカルヘシ之ヲ要スルニ同時ニ債権者債務者ニ対シ提起セラルル強制執行異議ノ訴カ民事訴訟法五〇条ノ所謂必要的共同訴訟ニ該当スルヤ否ヤハ事案ノ具体的内容ニ依リ其決定ヲ異ニスルヲ要」する（大判大八・一二・八民録二五・二二五〇）。

【128】　執行債権者を被告とする第三者異議の訴において債務者をも共同被告として目的物の引渡を求めた

事案について、

「民事訴訟法第五百四十九条第一項後段の規定は、債権者と債務者が、共に、執行の目的物の所有権が、原告に帰属するものであることを争うときは、各別に、その帰属を決定させるよりは、同一手続に於て、同一証拠により、一挙に、之を決定させる方が、訴訟経済上、妥当であると認めて、その両者を、共同被告とすべきことを命じて居るものと解せられるので、それは、言はば、便宜的処置であつて、必要的共同訴訟として、之を認めた趣旨ではないとするのが相当であると認められるから、右規定に基いて為された本件訴訟は、通常の共同訴訟であるとするのが相当である。」従つて債務者の認諾について債権者が異議を申立てその無効であることを主張することは許されない（長崎地判昭三二・九・二六判時一三五・三七四八）。

なお【46】をみよ。

【129】配当期日に異議を申立てた債権者が民訴法六三三条により他の債権者に対して提起すべき訴は「相手方ノ債権ノ全部若クハ一部ノ不存在ヲ主張シ又ハ相手方ノ順位カ自己ノ順位ヨリモ先ツヘカラサルコトヲ主張スル等ノ実体上ノ理由ニ基キ有利ノ配当ヲ得ンコトヲ求ムルヲ目的トスルモノナレトモ異議ノ相手方タル各債権者ニ対スル個々ノ訴ニシテ其ノ全員ニ対シテ訴訟ヲ為スニ非サレハ訴カ適法トナラサル場合ニ属セサルハ勿論」他の債権者に判決の効力が及ぶ場合でもなく、同一趣旨の判決がなければ目的を達しえない場合でもない。なぜなら「単ニ或債権者ニ対スル判決ノ執行ノ結果カ他ノ債権者ノ受クヘキ配当額ニ算数上影響ヲ及ホスニ過キサルヲ以テ」である（大民聯判大一二・六・二民集二・七・三五二、新聞二一一五・七。ただし聯合部を開いたのはこの点のためではない）。

【130】配当期日に異議を申立てた債権者が民訴法六三三条により他の債権者に対し訴を起した。

「配当表ノ変造ヲ目的トスル訴ニアリテハ其ノ変更ニ承認ヲナササリシ債権者全員ニ対シテ之ヲ提起スルヲ要スルコト固ヨリ言ヲ俟タサルトコロナリト雖モ」ある債権者の債権の不存在を理由として配当表の変更を求める場合には「変更ノ結果当然計算的ニ他ノ債権者ニ対スル配当額ノ増加ヲ見ルニ至リ之ニ因リテ他ノ債権者ハ単純ニ利益ヲ得ルニ止マル」という理由で右変更に異議ない債権者を被告とする必要はない（大判昭三・一

二・二四新聞二九七四・一三)。

右の判例の前触れとして、「異議ノ申立ヲ承認セサル他ノ総テノ債権者ヲ共同被告ト為スヘキコト民事訴訟法第六百三十条以下ノ規定ニ依リ明白ナリトス」という判例があつた(東京控判大一三・三・一三評論一三民訴三七六)。

【131】「配当期日ニ異議ノ申立ヲ為シタル債権者カ配当表ノ変更ヲ求ムル為ニ提起スル訴訟ニアリテハ」大判昭三・一二・二四【130】のいうとおりである「従テ異議ニ関係ヲ有シ且異議ヲ正当ト認メサリシ債権者数人アルニ拘ラス其一部ノ者ヲ被告トシテ右ノ訴ヲ提起シタル場合ニ於テハ其ノ請求ハ棄却セラルルコトヲ免レス何トナレハ異議申立債権者ハ如上他ノ債権者ノ全員ヲ被告トスルニアラサレハ権利保護ノ請求ヲ為スコトヲ許サレサルモノナレハナリ」(大判昭一二・一二・二六新聞三九六四・一二、評論二五民訴二四六、判決全集三・三・三二)。

(三)　破産関係　異議ある債権の債権者が異議者に対し債権確定の訴を提起する場合については、判例は合一確定の必要を肯定している(大判明三九・一・一二民録一二・一、大判明四四・一二・八民録一七・七五九)(大判明三九・一・一二は、異議を中立てた債権者の主張の採否により各債権者が配当を受ける数額において利害の関係を有することを理由としている)(旧商法第三編破産第六章債権者第一節債権ノ届出及ヒ確定のうちには訴訟共同の必要や判決の効力の拡張を規定する明文はない。一〇二七条に「異議ヲ受ケタル各債権ハ……成ル可ク合併シテ其判決ヲ為ス可シ……」とある)。

否認の訴については、破産法七二条一号及び八三条一項一号による否認の訴につき大判昭四・五・一五(新聞三〇二三)は受益者と転得者につき合一確定の必要を次の理由で否定した。

【132】転得者が「転得ノ当時其前者(被上告人)ニ対スル否認ノ原因存スルコトヲ知ラサリシトキハ縦令被上告人ニ否認ノ原因アリ同人ニ対スル関係ニ於テ上告人ノ請求是認セラルヘキモノトスルモ転得者……ニ対スル関係ニ於テハ否認権行使ノ要件ヲ欠キ同人等ニ対スル上告人ノ請求ハ竟ニ排斥ヲ免レサルヘク即被上告人ノ受クル判決ハ敢テ共同訴訟人タル」転得者「ニ其効力ヲ及ホスヘキモノニ非サルハ勿論ニシテ各其受クル判決ハ叙上ノ如ク其々別異ノ内容ヲ有スルコトヲ妨ケサルモノナレハ本件ハ合一ニノミ確定スヘキ共同訴訟ニ属セサルヤ明ナリ」(大判昭四・五・一五新聞三〇二三)。

破産管財人が数人ある場合には破産財団に関する訴において右数人が共同して原告となり被告となることが必要であることを、財産の処分権又は管理権が数人の共同に帰属する場合に固有必要的共同訴訟となることの一例としてあげる判例がある（前掲【72】【92】【124】大判昭七・一二・一四）。

（ホ）雑　件

【133】XがAY_2と締結した土地交換契約の無効の確認を要素の錯誤を理由としてXがAの相続人Y_1及びY_2を被告として訴求した事案につき（理由を示さずに）合一確定の必要を肯定した（大判大一一・四・一九民集一・五・二二二）（上告理由は訴訟共同の必要を主張した）。

【134】相続人Y_1遺言執行者Y_2共同受遺者Y_3外六名を被告とする遺言無効確認訴訟はY_1 Y_2 Y_3等「間においては性質上共同訴訟人に対して同一趣旨の判決をしなければ訴訟の目的を達することができない場合であつて所謂類似必要的共同訴訟に属するものと解するを相当とし」Y_3外六名「の間においては訴訟の目的である受贈財産の処分権又は管理権が受遺者全員の共同に属するから所謂固有必要的共同 訴訟に属する」（高松高判昭三一・七・五下級民集七・七・一七六四）。

【135】数人の被告に対する遺言無効確認訴訟においては合一確定の必要がある（函館地判昭八・五・三一新聞三五七五・一四）。

【136】Y_1 Y_2間の訴訟にXが主参加し係争中の物件につきXがY_1に対しては賃貸借関係の消滅を理由としてその引渡を訴求しY_2に対しては所有権の確認と損害賠償とを訴求した。

「被告ノ一人ニ対スル賃貸借関係ノ存否如何ト被告ノ他ノ一人ニ対スル所有権ノ存否如何トハ別個ニ確定スルコトヲ容ルササルモノニ非」ずという理由で合一確定の必要を否定した（大判大三・六・二四民録二〇・四九七）。

【137】原告の土地（甲地）と被告の土地（乙地）とが一点で第三者の土地（丙地）に接触し三方に経界線が分岐する場合に原告が被告だけを相手にして経界確定を訴求した。

「（イ）甲地ト丙地トノ経界線ニ付キ紛乱ナキニ拘ラス丙地ノ所有者其ノ他物権者ヲ訴フヘキ理由ナキハ勿論（ロ）甲地ト乙地トノ経界ノ訴ニ依リテ甲地ト丙地トノ経界線ハ寸毫モ定マルモノニ非サレハ」という理

由で右第三者をも被告とすることの必要を否定した（大判大三・一二・二四民録二〇号外一一七三）。

【138】　原告の土地に抵当権が存する場合に隣地の所有者だけを被告として経界確定を訴求した事案につき経界確定の訴の判決は宣言的判決であることを前提として抵当権者を共同原告とする必要を否定した（大判大九・七・六民録二六・九五八）。

【139】　建物所有者がこれに居住する数人を被告として居住権がないことを理由として明渡を訴求した事案につき「係争建物ニ住居スヘキ権利ヲ有スルヤ否ヤハ被告各自ノ被上告人ニ対スル関係如何ニ依リ之ヲ定ムヘキモノナレハ」という理由で合一確定の必要を否定した（大判大八・一〇・二一民録二五・一九〇三）。

【140】　X_1X_2が選挙長Yを被告として衆議院議員選挙の無効を訴求した事案につき、合一確定の必要を肯定した（理由を示さず）（大判大一〇・一二・一五民録二七・二一八九）。

【141】　抵当権の目的である土地の所有者が土地収用審査会の補償金額の裁決に不服で増額を訴求した。大審院は次の理由で共同して裁決を受けた抵当権者を共同原告とする必要を否定した。

「……土地ニ抵当権ノ存スル場合ニテモ該土地ノ所有者カ有スル補償金請求権ハ単ニ土地ニ代ルモノトシテ抵当権ノ行使ヲ受クルニ止マリ其ノ補償ヲ求メ得ル金額自体ハ初メヨリ抵当権カ存セサル場合ト同様収用時期ニ於ケル土地ノ価格ノ全部ニシテ何等減額ヲ受クベキモノ」でなく、収用審査会が抵当権者に対しても裁決を与えたのは補償金額の多少は直ちに抵当権者の権利に影響するからであって、金額の一部は抵当権者の損害の補償で土地所有者は残額についてだけ権利を有するとするものではない（大判昭三・一二・一二民集七・一〇五六）。

【142】　債権質の（第三者に対抗できる）質権者が質権の目的である債権の債権者と債務者とを被告として質権の確認を訴求した。大審院は次の理由で合一確定の必要を否定した。

「……或債権ノ譲渡人ニシテ譲渡（又ハ質権ノ設定）ヲ争フトキハ玆ニ譲受人ト譲渡人トノ間ニ当該債権ヲ訴訟物トスル確認ノ訴カ繋属スルニ至ルモ、債務者ヲ挽キテ或ハ原告或ハ被告ノ側ニ加ハラシム可キ何等本然固有ノ必要ナキコトニ省ルトキハ前記ノ訴カ必要的共同訴訟中ノ第一類ニ属セサルヤ論ナシ。又債務者ニシテ譲渡ヲ否認シ債権ノ帰属ヲ争フトキハ此者トノ間ニ確認或ハ給付ノ訴カ繋属スルハ或ハコレアラムモ此等ノ訴ト夫ノ譲渡人対譲受人トノ訴ト其ノ各判決カ相互ニ効力ヲ及ホス性質アリヤ将タ明文アリヤト問ヘハ則チ一モコレナキニ於テ何ヲ以テ之ヲ必要的共同訴訟ノ第二類ニ列スルヲ得ヘキヤ。是故ニ夫ノ論理ノ欲求ハ知ラス法律上此訴ハ合一確定ノ共同訴訟ニ非ス。否合一ニ確定セサルコトカ偶々以テ法律上必然ノ結果ナル場合無キニ非ス。例ヘハ債権譲渡ノ対抗要件ヲ欠クトキハ譲渡人対譲受人間ニ於テハ後者ノ勝訴ニ帰スルモ譲受人対債務者ノ間ニ於テハ前者ノ敗訴ヲ免レス。又之ト反対ノ場合アリ。此等ノ判決両々併存毫モ相悖ルトコロ無キハ判決ノ効力互ニ相及ハサレハナリ。……」（大判昭八・一〇・一三民集一二・二三・二五〇二）（判決文のうち、債権譲渡を質権設定、譲渡人を債務者（質権の目的である債権の債権者）、譲受人を質権者、債務者を第三債務者とよみかえれば事案に対する直接の判決文となろう）。

【143】 債権の差押並取立命令を得た債権者が債務者及び第三債務者を共同被告として第三債務者のなした供託金について自らその還付請求権を有することの確認を訴求した事案につき「必要的共同訴訟ナリト解スヘキ法律上ノ根拠」なしという理由で合一確定の必要を否定した（大判昭一五・六・二八民集一九・一三・一〇四五）。

【144】 なお「仮処分は本案訴訟の如く実体的権利関係を確定するものでなく本案の執行を保全する必要な一時的の法律関係を設定するに過ぎないものであるから必要的共同訴訟の関係を生ずることはな」いとする判例がある（名古屋高判昭三一・八・一八下級民集七・二二三五）。

（二） 判例の綜合的研究

(1) 序　以上において、判例が、いかなる場合に訴訟共同の必要を肯定あるいは否定し、いかなる場合に合一確定の必要を肯定あるいは否定したかを、具体的な事件に即して、具体的な理由を附して（もっとも理由を示さない判例が多いのであるが）、判決が結論したところを素材として観察した（そして、問題点を指摘した。ただし、異なる立場からの批判はさし控えた）。これらの素材から、判例の動向や、判例の結論の前提となっている法論理の体系的な構造を、帰納的に探り出すことができるであろうか。以下においてそれをできるかぎり試みることにしよう。

判例の概観においては、訴訟の型をできるかぎり細分して、その型に属すると思われる判例を寄せ集めて、共通する点や矛盾する点を浮きあがらせてみた。以下においては、まず第一に、訴訟共同の必要及び合一確定の必要を考える場合に、判例がなにをその基準としているか、という視点で判例をまとめてみることにする。そして次に、そのまとめからどういうことがいえそうかという視点で判例の今後の動向を展望してみたい。

(2) 合一確定の必要と訴訟共同の必要との関係　古くには、合一確定の必要がある場合はすなわち訴訟共同の必要がある場合であるという考え方があつた。これはしかし大審院民刑聯合部判決で否定された（前掲【1】大判明三八・一〇・一一）。すなわち、訴訟共同の必要がある場合には常に合一確定の必要がある、しかし、逆は必らずしも成り立たず、合一確定の必要はあるが訴訟共同の必要はないという場合もあるということが認識された。この認識は今日まで続いているとみることができる。

ただし、合一確定の必要はないが、特別の理由から、一部の者の訴訟共同の必要を肯定すべき場合をも、例外的な場合としてではあれ、認めている判例がある【131】。

(3) 訴訟共同の必要がある場合

(イ) 序　判例は、総括としてどんな場合を訴訟共同の必要がある場合と判断しているか。ある判例（前掲【72・92・124】大判昭七・一二・一四）によれば、訴訟共同の必要は、抽象的には「数人ニ共通ナル権利状態ヲ変更スル創設的判決ヲ求ムル場合」と「財産ノ処分権又ハ管理権カ数人ノ共同ニ帰属スル場合」とに限られる。

（ロ）「数人ニ共通ナル権利状態ヲ変更スル創設的判決ヲ求ムル場合」　右の場合に該当する具体的な場合としてどんな場合が挙げられるであろうか。判例の内心をおしはかりながら、列挙してみよう。

(a)　形成の訴であることについて判例の間に争がないとみてよい場合　次のものを挙げることができる。三人以上の共有における共有物分割請求訴訟（例えば、前掲【34】大判明四一・九・二五その他。ただし、例外がひとつある。前掲三〇頁、大判明四一・六・八）。抵当権者が民法三九五条但書により賃貸借契約の解除を請求する訴訟（前掲【113】大判大四・一〇・六、前掲【114】大判昭七・九・三〇、前掲【115】大判昭九・四・一九）。配偶者ある者を当事者とする離縁訴訟（養親が夫婦である場合と養子が夫婦である場合との双方を含む。前掲【112】大判明三五・一二・二〇、前掲【72 92 124】大判昭七・一二・一四、前掲六六頁、仙台地判昭二九・一一・三〇、大阪地判昭二九・九・一六。ただし、例外がある）。第三者が提起する婚姻取消訴訟（大判明三九・三・三〇、前掲【2】大判大二・四・二四）。

共有物分割請求訴訟が形成訴訟であるというのは、分割判決により共有関係が消滅するからというのであろう。共有物の分割はしかしもともと分割の協議が成立すればそれで足りるのである。そこで、分割を争わない共有者を当事者とする必要はないという発想が生まれる（前掲三〇頁、大判明四一・六・八）。分割を争う者の間では判決による分割が協議による分割にいわば代わるものとして成立し、これに分割を争わない者が加わつて全体の協議が成立したと考えることができるというのであろうか。この考え方は、いわゆる判決を実体法上の法律要件と考える考え方を前提としているようである。いま、このような考え方に問題があることは別にしても、分割の協議は共有者全員が行なわなければならないという実体法上の制約をそのまま訴訟に反映させて分割訴訟には全員が当事者の地位に着かなければならないと考える発想と、争のないところに訴の利益なしという訴訟法上の制約を分割訴訟にまで反映させて争わない共有者を当事者とする必要はないと考える発想の対比は興味深い。

養親である夫婦の一方だけが離縁訴訟を起せるかという問題は、共有物分割訴訟における問題と質を異にするようである。離縁訴訟の場合には、二つの問題が伏在する。ひとつは、夫婦が養子縁組をした場合にそこに生ずる親子関係を夫婦と子の間の一個の関係と把えるかそれとも夫と子、妻と子という二個の関係と把えるかの問題である。これはいわば理論構成上の問題である。もうひとつは、養子制度の目的にてらして夫婦の一方だけが離縁するということを認めてよいか認めるべきでないのかの問題である。これはいわば制度上または政策上の問題である。この問題がむつかしくなるのは、養子が成年でしかも夫、妻、養子の間に三角関係が生じて争になった場合である。家庭観の変遷につれて判例も変遷するであろう（前掲六六頁、仙台地判昭二九・一一・三〇の理由と大阪地判昭二九・九・一六の理由とをよみ比べてみよ）。

(b)　形成の訴であるか否かについて判例の間に争がある場合

(i)　第三者の提起する認知の無効ないし取消の訴　これを確認訴訟であるとしながらしかも認知者及び被認知者の双方を共同被告とすべきであるとする判例（前掲【103】東京控判大一〇・八・二八）と、これを形成訴訟であるとして右と同じ判断を示す判例（前掲【105】大判大一四・九・一八）とがある。

(ii)　配当期日に異議を申立てた債権者が民訴法六三三条により他の債権者に訴を提起する場合他の債権者の全員を共同被告とする必要があるか。そういう必要はない（前掲【129】大民聯判大一二・六・二）。異議を争わない債権者を被告とする必要はない（前掲【130】大判昭三・一二・二四）。では、異議を争う債権者はその全員を共同被告にする必要はあるか。その必要はある（前掲七四頁、東京控判大一三・三・一三、前掲【130】大判昭三・一二・二四）。もし、その一部だけを被告とした訴はどのように処理されるか。請求棄却である（前掲【131】大判昭一一・二・二六）。それでは共同被告に対して合一確定の必要はあるか。それはない（前掲【129】大民聯判大一二・六・二）。以上が判例である。

そうすると、異議を争う債権者の全員につき訴訟共同の必要を肯定した根拠は訴訟一回主義であろうか。また、この種の訴の性質については何を考えているのであろうか。一方では、配当表の変更を目的とする訴（前掲【130】大判昭三・一二・二四、前掲【131】大判昭一一・二・二六）といつて、形成の訴と考えているらしくみえるが、他方では「異議ノ相手方タル各債権者ニ対スル個々ノ訴」である（前掲【129】大民聯判大一二・六・二）といっている。組合員であるかないかの争、持分の割合がどのくらいかの争、抵当権の順位が何番かの争、自分の受ける配当がどのくらいかの争は、特殊の考慮が必要であるようである。

(iii)　詐害行為取消の訴　　詐害行為取消の訴は創設の訴であるとする判例が多い。この訴を提起しようとする債権者は、債務者受益者転得者の全員を共同被告にしなければならないであろうか。「判例の概観」（六八頁一(二)(6)(イ)(b)）でみたように、大審院の判例は一貫しなかつたが、聯合部判決（【119】）は訴訟共同の必要を否定することに踏みきつた。前掲【117】がいうところの詐害行為取消の「目的」を達するためという理由は否定されたのである。

民法上詐害行為として取消されるのは例えば債務者が受益者との間で行なつた法律行為である。法律行為が取消されるのはだからその法律行為の両当事者に対する関係で取消されるのである。したがつて裁判所がこれを取消す場合にもこの両当事者に対してでなければならない。したがつて、この両当事者は共同被告とされなければならない。【117】はこのように考えたのであろうと思われる。裁判所の判決が民法上の取消の効果を生ずる民法上の法律要件であるとでも考えたのであろうか。しかし、詐害行為の裁判上の取消は原告たる債権者との関係で被告たる例えば受益者が債務者との間の法律行為が取消されたことを争いえないということで足りるとするならば、法律行為の両当事者を共同被告とする必要はない。【119】はしかしこのような考え方に立つたようにはみえない。判決を法律要件であると見ながらも、法律行為の取消の効果の相対性を許しているようにみえる。しかし、AB間の法律行為の取消がCに対抗しえないということは実体法上ありえても、AB間の法律行為がAとBとについては取消されず、BとCとについては取消されるということは実体法上ありうるのであろうか。AとBとの間では取消しえないことを争いえず、BとCとの間では取消されたことを争いえないということはありえても。なお、民法三九五条但書の解除請求訴訟と対比して考える必要がありそうである。

(c)　このように見てくると、「数人ニ共通ナル権利状態ヲ変更スル創設的判決ヲ求ムル場合」と判例がいうとき、「共通ナル」の意味が一様でないことを発見する。また、共通であることが訴訟共同の必要と結びつく意味も一様でないことを発見する。

一個の行為が原因で権利関係が発生している場合にはその権利関係はその権利関係の数人の当事者に共通である（共有、婚姻、賃貸借）。一個の行為が原因で数人との間に数個の争が発生する場合も同様である（配当異議）。配偶者ある者の縁組行為は一個か二個か。一個ならば右のうちの前者と同様に考えられる。二個ならば、共通というよりはむしろ同種というべきであろう。

（八）　確認の訴　縁組無効の訴や婚姻無効の訴の性質が創設の訴であるか確認の訴であるかについては、「判例もしばしば婚姻無効の訴は確認の訴であると説いている」（山木戸克己・人事訴訟手続法二二頁）。しかし、判例は右の訴訟において訴訟共同の必要を認めている（前掲【109】大判明三六・一・二〇、同【110】大判昭一四・八・一〇。ただし、これらの判例が、このような無効確認は確認とはいうもののその性質は形成である、と論じているわけではない）。

嫡出親子関係の存在確認の訴の性質が確認の訴であることを否定した判例はみあたらない。したがって、確認の訴であることを前提としていると理解される（「嫡出子否認ノ訴ハ其ノ本質親子関係不存在確認ノ訴ニ外ナラ」ずとする判例はある。大判昭一五・九・二〇民集一九・一五九六、大判昭一六・一二・一二新聞四七六六・一三）。ところで、判例によれば、右の訴においては父母が共同して原告または被告となることが必要である（前掲【97】大判昭四・九・二五、同【100】大判昭一九・六・二八）。

さらに、他人間の売買の無効の確認の訴においては売主買主双方を共同被告とすることを必要とするかのような口吻の判例がある（前掲二五頁、六九頁、大判明四一・四・一二）。

このようにみてくると、判例は、判例のいわゆる数人に共通なる権利状態を確認する確認的判決を求める場合にも、訴訟共同の必要を認めているということができる。いうまでもなく、そのすべてが固有必要的共同訴訟であるというのではない。それでは訴訟共同の必要の有無を判断する基準はなにか。単に身分関係だからというのではなさそうである（前掲、大判明四一・四・二一）。その存否が確認される権利関係が単一であることに基準がありそうである。この場合にその権利関係の両当事者（親子関係の場合には親（父または母）と子、嫡出親子関係の場合には父母と子、売買関係の場合には売主と買主）が共同当事者であることが必要であるというのであるらしい（財産権上の権利関係の場合にもこのようなことがいえるかは吟味される必要がある）。

こういつた権利関係（例えば売買関係）を否定して登記（例えば売主から買主への所有権移転登記）の抹消を（例えば真実の所有者と主張する者が）請求する給付訴訟の場合には、すでに見たように、古い判例は権利関係の当事者（例えば、右の売主と買主、つまり移転登記のさいの登記義務者と登記権利者）を共同被告にする必要を肯定したが、聯合部判決（前掲【31】大判明四一・三・一七）により右の必要は否定された（それが、民法上の関係と登記法上の関係を区別することに基づくのか、確認と給付を区別することに基づくのかは明らかでない）。

（二）「財産ノ処分権又ハ管理権カ数人ノ共同ニ属スル場合」　右の場合に該当する具体的な場合としてどんな場合があげられるであろうか。判例に現われたところを列挙してみよう。

数人の破産管財人を当事者とする破産財団に関する訴訟（前掲【72】【92】【124】大判昭七・一二・一四）。数人の受託者を当事者とする信託財産に関する訴訟（前掲【82】大判昭一七・七・七）。共有者を当事者とする共有権（持分権ではない。共有であること自体）に関する訴訟（例えば、前掲三二頁、大判大一三・五・一九、同【36】大判大五・六・一三）。

ところで、数人の受託者の訴訟共同の必要の根拠としては、「保存行為ト雖モ総員共同シテ之ヲ為スコトヲ要スル」ことに求めており、そのまた根拠としては「其所有権ハ上叙ノ如ク全部トシテ不可分的ニ受託者全員ニ帰属スル」ことに求めており、この点に共有との相異を見出している（前掲【82】大判昭一七・七・七）。つまり、共有の場合には、保存行為ならば、訴訟共同の必要はなく、そうでなければ訴訟共同の必要がある、というわけである。そこで、共有においては、訴訟は保存行為であるか、そうであるとしてもいかなる訴訟が保存行為であるのか、が問題となるのである。

訴訟共同の必要の有無を判断するのに、訴訟追行を民法上の行為のひとつとして見て、それが保存行為に該当するかどうかによって、判断しようとしているわけである。この点は注意を必要とする。

判例はどんな訴訟を保存行為としどんな訴訟を保存行為でないとしているか。

まず、給付訴訟についてみよう。判例が保存行為という言葉を用いて、これに該るとする給付訴訟としては、次のものが挙げられる。共有者の第三者に対する登記抹消請求訴訟（前掲【27】札幌高判昭三五・二・一六、ただし、共有権に基づき抹消請求する場合にといっている。前掲【26】最判昭三一・五・一〇、ただし、持分に基づき、といっており、かつ抹消請求は妨害排除請求のようなもの、といっている）。共有者の第三者に対する共有物全部における妨害排除請求訴訟（前掲【64】大判大一〇・七・一八。前掲【47】神戸地判昭二八・一二・二三は不法占拠者に対する明渡請求は管理行為として各共有者単独でなしうるといっている）。共有者の第三者に対する物の引渡請求訴訟（前掲【44】大判大一〇・六・一三。前掲【43】大判大一〇・三・一八は不可分債権と同じといっている）。

ところが、共有者の第三者に対する所有権の登記請求訴訟については（抹消請求訴訟とちがって）、判例は共有者の訴訟共同を肯定している（前掲【13】大判大一一・七・一〇）。理由は、登記請求は権利者全体の共同行為を必要とするから、というのである。共有者の第三者に対する共有物の引渡は、各自単独でなしうるとしていることと対比すると、登記行為の登記法上の特殊性に着眼したものと理解される。そうすると、そのかぎりでは、もはや保存行為の問題からはなれて別の根拠に基づいているわけである。また、この登記法上の特殊性が、訴訟共同の必要をしかく必然的に生じさせるかが、吟味されなければならないであろう。

なお、第三者の共有者に対する所有権移転登記抹消請求訴訟についても（移転登記請求訴訟とちがって）判例は共有者の訴訟共同を肯定している（前掲【28】大判昭八・三・三〇）。これについても前述と同じことがいえようか。

次に、確認訴訟についてみよう。

共有者の一部が第三者に対してする所有権（共有権そのものという意味）確認の訴が保存行為であるかどうかについては、これを否定する判例（前掲【36】大判大五・六・一三、同【37】大判大八・五・三一）とこれを肯定する（らしい）判例（前掲五一頁、大判大一二・四・一七）とがある。否定の根拠は「事実上他ノ共有者ニ不利益ヲ及ホス場合アリ得ヘキヲ以テ」である。「事実上」というのが注目に値する。肯定の根拠は「結局目的物ニ対スル妨害ヲ排除セントスルモノニシテ妨害ノ排除ナルモノハ……畢竟保存行為ノ一場合ニ過キサレハ」である。

この問題は確認訴訟の機能から逆に再検討される必要があるのではなかろうか。すなわち、共有権そのものが確認の対象である場合に、そのような確認訴訟の機能はなんであろうか。訴を実体法上の効果を齎らす判決を求める行為と考えるかぎり、この問題に対する答えは、いつまでも曖昧な点を残すのではなかろうか。

(4)　合一確定の必要がある場合

（イ）序　判例は総括としてどんな場合を合一確定の必要がある場合と判断しているか（ただし、訴訟共同の必要があるがゆえに合一確定の必要もあるという場合を除く）。判例は全体としてみれば、抽象的には、二つの場合を考えているように見える。第一の場合は、「共同訴訟人ノ一人ニ生シタル判決ノ効力カ法律上他ノ共同訴訟人ニ対シ当然其ノ効力ヲ及ホスヘキ場合」である（前掲【4】大判大八・六・三、同旨前掲【83】大判大一五・六・一、同【72】【92】【124】大判昭七・一二・一四、同【142】大判昭八・一〇・一三）。第二の場合としては、「一旦数人カ共同訴訟人トナリタル以上ハ」（前掲【3】大判大六・七・六、同【67】大判大八・一二・二六）、「原告ノ主張ニ従ヘハ」（同上）、「係争権利関係カ」「其性質上共同訴訟人ニ対シ別箇ニ確定スルヲ許ササルトキ」（前掲【3】大判大六・七・六）または「其性質上各共同訴訟人ニ対シ同一趣旨ノ判決ヲ為スニアラサレハ訴訟ノ目的ヲ達スルコトヲ得サル場合」（前掲【61】大判大六・一二・一〇、同【4】大判大八・六・三、同【67】大判大八・一二・二六、同【10】大判昭一三・五・一八）が挙げられる。

第一の場合を第二の場合に含ませている趣旨の判例が多い。

大判大八・六・三（前掲【4】）は第一の場合と第二の場合とを区別している。なお、第二の場合を認める考え方は判例のなかに根強く潜んでいるように思われる。最近にさえそういう判例を見出す。例えば、【125】名古屋高判昭三一・八・一八（民集九・八・四八三）。

（ロ）　第一の場合　第一の場合に該当する場合として判例はどんな場合を考えているであろうか。次の諸場合を挙げることができる。数人の社員が提起する合名会社設立無効の訴訟（前掲【72】【92】【124】大判昭七・一二・二四が例として挙げている）。破産債権確定訴訟（前掲七四頁、大判明三九・一・一二、大判明四四・一二・八）。衆議院議員選挙無効訴訟（前掲【140】大判大一〇・二・一五）。

反射的効力が他の共同訴訟人に及ぶ場合をこの場合に入れている前掲【125】名古屋高判昭三一・八・一八は注目に値しよう。

（ハ）　第二の場合　第二の場合に該当する場合として判例はどんな場合を考えているのであろうか。「其性質上」の「性質」はなにをさすか。「訴訟ノ目的ヲ達スル」の「目的」はなにをさすか。

ところで、この第二の場合に該当するかどうかが問題になるのは、訴訟共同の必要はなく、第一の場合にも該当しないが、数人が共同して訴訟の当事者となっているという場合である。したがって、単独で訴訟の当事者になっている場合には、訴訟法上他の者（共同当事者になりうる）との関連においては何の問題も生じない。それであるのに、ひとたび共同して訴訟の当事者となると、合一確定の必要がある、というのはどういうことであろうか。

(a)　確認訴訟　数人を当事者とする確認訴訟で判例が第二の場合の意味で合一確定の必要を認めている（ないしは認めたことがあつた）ものを列挙すれば次のようになるであろう。合一確定の必要が否定されたものと対比させながら列挙してみる。

数人を原告とする所有権確認訴訟。この場合、数人は共有者である。前述（二の一(二)(4)(イ)(b)）のように、この場合については、訴訟共同の必要を肯定する判例が多く（【136】【41】【37】【38】など）、これを否定する判例はみあたらない。訴訟共同の必要を肯定する以上この場合については合一確定の必要をも肯定することになろう。

数人を原告とする共有土地につき存する契約の無効確認訴訟。この場合について訴訟共同の必要を否定し、合一確定の必要を肯定した判例がある（【40】）。保存行為であるというのがその理由である。

数人を被告とする所有権確認訴訟。この場合については、その数人が共有者であるとないとを問わず、合一確定の必要を肯定する判例があつたが（【3】【7】【4】）、最高裁判例（【5】【8】）はこれを否定した。

契約当事者を被告とする契約関係の不存在ないし無効確認訴訟。これについては合一確定の必要を肯定した判例（【133】）がある（先決問題であるのにもかかわらず合一判断の必要を説いた判例がある【121】【122】）。

相続人・遺言執行人・受遺者を共同被告とする遺言無効確認請求訴訟。これについては合一確定の必要を肯定した判例がある（【134】）。

会社と代表取締役とを共同被告とする右両者間の増資株式引受契約無効確認訴訟。これについては合一確定の必要を肯定した判例がある（【125】）。

なお、(一)(6)(ホ)(一二〇頁)の例をみよ。

(b)　給付訴訟　数人(の共有者)を原告とする所有権(持分権ではない)登記請求訴訟　判例によれば、訴訟共同の必要があり、合一確定の必要がある(【10】【13】【14】)。

数人の共有者を原告とする登記抹消請求訴訟　判例によれば、訴訟共同の必要はないが(【23】【25】【26】【27】)、合一確定の必要はある(【22】【24】【27】)。

数人の共有者を被告とする登記請求訴訟　判例によれば合一確定の必要がある(【16】)。

数人の共有者に対する登記抹消請求訴訟　判例によれば、訴訟共同の必要がある(【28】)。したがって、合一確定の必要もあることになろう(ただし、【29】に注意せよ)。

数人の(登記義務の)共同相続人を被告とする登記請求訴訟　下級裁の判例は動揺していたが最高裁【21】は合一確定の必要を否定したと理解される。

数人の(共有関係にない)者を被告とする登記抹消請求訴訟　訴訟共同の必要があるとする判例は合一確定の必要を肯定した。訴訟共同の必要がないとする判例は、合一確定の必要を、あるいは肯定しあるいは否定した。最高裁はこれを否定した(【30】【32】)。

数人(の共有者)を原告とする物の引渡請求訴訟　判例【43】によれば、訴訟共同の必要はない。合一確定の必要については肯定する判例【45】と否定すると理解される判例【47】とがある。

数人(の共有者)を被告とする共有建物収去土地明渡または物の引渡請求訴訟　訴訟共同の必要を肯定する判例【49】と合一確定の必要を肯定する判例【50】と、合一確定の必要を否定する判例【51】とがある。

数人の共有者を原告とする共有物妨害の排除を請求する訴訟　訴訟共同の必要を否定する判例（大判大七・四・一九民録二四・七三一）があり、それは保存行為であることを理由とするので、合一確定の必要をも否定したものと理解される。

なお次の判例は注目に値しよう。持分権に基づき、これを主張して不法な登記の抹消を求めるのは妨害排除の請求であるとする判例【26】。共有権行使を妨害する者に対し共有権そのものの確認を訴求するのは保存行為でないとする判例【37】。なお大判大一二・四・一七（評論一二民三〇五）（前掲五一頁）をみよ。

数人（の共同保管者）を被告とする共同保管物返還請求訴訟　合一確定の必要を肯定した古い判例がある（前掲【95】大判明三五・一〇・一五、同【96】大判明三九・六・八）。

数人の連帯債権者を原告とする金銭請求訴訟　合一確定の必要を肯定する判例がある【87】。

数人の連帯債務者を被告とする金銭請求訴訟　合一確定の必要は判例によつて否定されている（前掲【86】大判明二九・四・四民録二・四・一三、前掲五八頁大判明二九・一〇・二四民録二・九・九七、大判明三九・六・八民録一二・九四二）。

数人の被害者を原告とする（【90】）、または、数人の加害者を被告とする（【89】）損害賠償請求訴訟　判例によれば、合一確定の必要はない。

主債務者と保証人を被告とする金銭請求訴訟　判例によれば合一確定の必要はないとされている（【93】）。

(c)　その他　訴訟の性質が訴訟の三類型のうちどれに該るかが問題であるものについてここで

まとめる。

共同地上権者を被告とする地代値上請求訴訟　この訴訟をかりに確認訴訟だとしよう（形成訴訟のように思えるのであるが）。判例は合一確定の必要を肯定している（【51】）。

民訴六三三条による配当異議訴訟　合一確定の必要を否定する判例【129】がある。

民法四二四条の詐害行為取消請求訴訟　合一確定の必要を肯定する判例【116】【119】とがある。

(5)　訴訟共同の必要を肯定する根拠

（イ）　ＡＢ間の法律関係の存在、不存在、ないしは法律行為の無効、取消、解消をＣが訴求する場合。

ＡＢ間の親子関係の存在確認、ＡＢ間の認知の取消や無効、ＡＢの婚姻の取消や無効、ＡＢ間の売買の無効、ＡＢ間の賃貸借の解除、無効などが実例としてあったことは前掲のとおりである。

この場合に判例はＡＢは共同被告とされる必要があるとする。その理由は、例えば、数人（ＢＡ）が相手方（Ｃ）と「直接反対ノ利害関係ヲ有スル」（【103】）、または、Ａ及びＢ「ノ双方ニ付重大ナル関係ヲ有スル」（【105】）からである。

しかし、「直接」「重大」「利害関係」はそれ自体抽象的で基準に適しない。

そこで、例えば、「解除ハ其ノ当事者ニ対シテ之ヲ宣言スルニ因リテ其ノ効力ヲ生スルニ至ルモノナレハ」という理由が考えられる（【115】）。

右の理由は、解除の判決によつて民法上の解除の効果が生ずるという考え方に基づいているように見える。それならば、解除は解除されるべき法律関係の消滅を結果するから、解除判決は解除されるべき法律関係の両当事者を名宛人として行なわれるべきであることになろう。

しかし、それはなぜか。法律関係の解除は、その法律関係の当事者の加わらない訴訟における判決によって、なされてはならないからであろうか。そうだとすると、それは、法律関係の当事者の一方と相手方との間だけに解除の効力を生じさせることは許されないということと裏はらである。ところが、民法四二四条による取消については、法律関係の当事者の一方と債権者との間だけに取消の効力が生ずるのを許している判例がある(前述【119】をみよ)。したがって、【115】の理由だけでは十分ではなく、なお、民法三九五条の解除と民法四二四条の取消の相異を明らかにする必要があろう。つまり、民法三九五条の場合には、解除の効力の相対性を許さない、ということであろうか。

さらに、右のように考えてもなお、判決による解除は民法上の解除の一種であり、判決はその意味で、ひとつの法律要件であるという発想が残存している。この点は、なお、検討を必要としよう。詳論はさけるが、次のような考え方はどうであろうか。解除判決の効力も当事者だけに及ぶ。賃貸借の当事者の一方と抵当権者とを当事者とする解除判決の効力は賃貸借の当事者の他方には及ばない。しかし、右の一方と他方とが別々に訴えられて、一方が勝訴し他方が敗訴するときは、それぞれの判決の効力は互に牴触する(判決が牴触するというよりも、単に、抵当権者は目的を達することができなかつたにすぎない、とする考え方もありえよう)。このような場合には、一方についての判決の効力が他方に及ぶとする規定がないかぎり、右の一方と他方とが訴訟を共同にする必要があると。

これに似た考え方として、「賃貸借関係カ一方ニ対シテハ無効ニシテ他方ニ対シテハ有効ナリト云フカ如キ別箇ニ確定スルコトヲ許サ」ないことを理由とする判例がある【122】。たしかに、ＡＢ間の賃貸借がＡＢ間においてＡにとつては無効でＢにとつては有効であることは民法上ありえない。Ｃにとつてはどうであろうか。ＡＢ間では無効でもＣに対抗できないということはありえよう。しかし、ＡＣ間では無効でＢＣ間では有効ということはありうるか。右判決はこれをありえないと考えたのであろう。

しかし、民法上そういうことだから訴訟法上訴訟共同の必要があるという発想にはなお問題が残存する。確認訴訟の場合には、確認の利益が存する者に当事者適格がある。不存在確認ないし無効確認判決があつても、実体関係の不存在ないし無効を結果するのではなく、不存在ないし無効がその当事者間では争いえないものとなるに止まるという考え方がある。そうすると、ＡＣ間では無効を争いえなくなり、ＢＣ間では有効を争いえなくなることが訴訟法上牴触するか否かで、訴訟共同の必要の有無が定められるべきであるのではなかろうか。

(ロ)　ＡＢ夫婦とＣとの間の身分関係の存在または不存在、ないしは身分行為の無効・取消・解消をＡ(またはＢ)またはＣまたはＤが訴求する場合。

実例としてあつたのは次のものである。ＡＢ夫婦がＣと養子縁組をしてＡがＣと離縁したい場合。ＣがＣはＡＢの嫡出子であると主張する場合。ＡがＣはＡＢの嫡出子でないと主張する場合。ＤがＣはＡＢの嫡出子であるまたはないと主張する場合。ＣがＣとＡＢ夫婦との縁組は無効であると主張する場合。

これらの場合に判例はＡＢないしＡＢＣは共同当事者である必要があるという。その理由は、あるいは、【98】「民事訴訟上ノ理論上及親子関係確定テフ事柄ノ性質上」（嫡出子関係確認の訴につき）であり、換言すれば【97】「父ト子トノ間ニ嫡出子ノ関係アルモ母ト子トノ間ニ同一ノ関係ナシト云フカ如キ別異ノ法律関係存在スルコトヲ許ササルノミナラス」一方だけが争わないからといって判決を受けなければ戸籍簿の訂正ができないからであり、あるいは、【101】「最も緊密なる利害関係者として……関与することを至当とする」からであり、あるいは、「直接利害関係者」【112】（AB夫婦のうちAが養子Cとの離縁を訴求した場合）であるからであり、あるいは、「法律ノ精神ハ……配偶者ノ一方ノミニ付テ消長スルコトヲ得セシメサルニ在ル」【109】（BA夫婦とCの縁組無効をAが訴求した場合）からである。

父子は嫡出関係で母子は嫡出関係でないということは許さないというけれども、それはCがABの嫡出子であることを前提としている。そこでこの考え方は、嫡出子関係確認訴訟の場合には両親を特定しなければならないということを前提している。すなわち、例えば母を度外視して父との関係が私生子関係ではなく嫡出子関係であることだけの確認を訴求することは許されないという考え方が前提にあるのであろう。

この考え方はそれなりに理由があるように思える。嫡出子というのは特定のAとBの嫡出子ということで意味があるので、Aと何者かの嫡出子ということでは意味がない、ということは十分に考えられるからである。

しかし、このことから、ABは共同当事者であることが必要であるという結論は、当然には、でてこない。BはAに同意する、あるいはBは相手方の主張を争わない、としてもなおかつABが共同当事者でなければならないとするならば、もうひとつ、結論に導く中間命題が必要であるように思える。

「緊密なる利害関係者」というと緊密であるか否かの基準を必要とするであろう。そこで、Cが「嫡出子タルト否トニ依リ相続順位ニ変動ヲ及ホスヘキ傍系親ヲモ其相手方ト為スヘキ」【99】であるという考え方も生まれてくる。「法律ノ精神」ということになると、法律の精神を正反対に解釈する現象が生ずる（仙台地判昭二九・一一・三〇と大阪地判昭二九・九・一六を対比せよ）。

ＡＢ夫婦とＣとの間の嫡出親子関係と、ＡＢ夫婦とＣとの間の養親子関係とは異なる。ＣはＡＢの嫡出子であるかどうかが問題であるときに、ＣはＡの嫡出子であるというだけでは無意味であるが、ＣはＡＢの養子であるかまたはＣとＡＢは離縁するかということが問題であるときには、ＣはＡの養子であるまたはＣとＡを離縁するというだけでも無意味ではない。ただ法政策上許されないかどうかの問題が残存するだけである。養子と縁組を共同でした養親夫婦との関係については次のような考え方も可能になろう。Ｃと縁組した夫婦たるＡＢのうちＡがＡＣの縁組関係を解消するために離縁の訴を起すときは、ＸがＸＹの婚姻関係を解消するために離婚の訴を起す場合に類似し、Ｂが右の訴の共同訴訟人となる必要はない。かりに、民法上の解釈として、離縁の共同が必要であるとしても、そのときは、訴訟上はＡＢが共同原告となるべきではなく、ＡがＢＣを共同被告とするＢＣ間の離縁訴訟――この場合にはＡＣ間に存する離縁原因は同時にＢＣ間の離縁原因として考えざるをえないであろう――とＡ対Ｃの離縁訴訟との併合提起の必要がある、ということになりはしないだろうか。

（ハ）　ＡＢが夫婦でなくて財産共有者である場合　　分割訴訟における共有者全員の訴訟共同の必要は「共有ノ性質上当然」で、各共有者は「共有物ノ分割ニ直接ノ利害ノ関係ヲ有スル」（前掲三〇頁・大判明四一・

九・二五民録一四・九三一）ことに基づく。

共有権そのものの確認訴訟で共有者全員の訴訟共同が必要なのは共有者全員の権利関係の確認を求めるからであり、あるいは、「共有物ノ所有権ハ総共有者ニ属スル」【36】からであり、所有権確認の訴は「時トシテハ……敗訴ノ判決ヲ受ケ事実上他ノ共有者ニ不利益ヲ及ホス場合アリ得ヘキヲ以テ……保存行為ト云フヲ得サルモノ」【36】であるからである。


共有者が登記を訴求する場合に共有者全員が原告となる必要があるのは、「他ニ特別ノ規定ナキ限リ権利者全体ノ共同行為ニ依ルニ非レハ之ヲ為スコトヲ得サルモノ」【13】【15】であるからである。

組合員の一人が組合契約不存在の確認を訴求するときに他の組合員全員を共同被告とする必要があるのは「若然ラストセムカ場合ニ依リテハ甲組合員ニ対スル甲訴訟ニ於テハ組合ノ存在ヲ認メ乙組合員ニ対スル乙訴訟ニ於テハ反対ニ同一ノ組合ノ不存在ヲ認メ以テ単一ナル法律関係ヲ二様ニ決スルノ不条理ヲ来スノ虞アル」【73】からである。


ところで、共有物分割は協議でなされうるから、各共有者は直接に分割に利害関係を有するけれども、このことから、論理必然的に、分割訴訟の当事者になる必要がある、という結論は出てこない。「任意ニ分割ノ手続ヲ為ス者ニ対シテハ強ヒテ裁判上ノ請求ヲ為スヘキ必要」（前掲三〇頁大判明四一・六・八民録一四・六九一）はないという考え方が生まれるのも理由がないわけではない。したがつて、訴訟共同の必要の根拠は別に求められなければならないであろう。

そこで、「共有ノ性質上当然」ということになる。つまり、共有物の分割においては、特定の共有者の間で、ある者にとつては分割され、他の者にとつては分割されないということが民法上ありえないからであろう。

なお、右のような発想にはなお問題が残存することについては前述（イ）（ロ）をみよ。

共有物分割訴訟以外の共有者を当事者とする訴訟において、訴訟共同の必要を肯定する判例の根拠は、保存行為でないこと、または、共同行為を必要とすること、であるといつてよい。

この点については、前述において、判例は、論理の整合において、十分でないことが明らかにされた。民法上保存行為に該るかどうかということを出発点とすること自体に問題があるからではあるまいか。むしろ、単独の訴を起した場合に、その勝訴・敗訴が他の共有者の同種の訴の勝訴・敗訴と訴訟法上牴触しない場合には保存行為であり、牴触しうる場合には保存行為でないという発想をすべきではなかろうか。判例の進展は、やがて、この発想に至ろうとしているらしくみえる。共同行為については、すでに述べた。訴訟の共同は、訴訟法上の共同の必要という見地から判断されるべきであろう。

（ニ）　ＡＢが夫婦でなく共有者でもないが、ある行為をするのに共同しなければならない地位にある場合。

登記権利者Ａと登記義務者Ｂとが共同申請をしなければならない場合がこれにあたる。ＡＢが行なつた登記の抹消を訴求する場合にはＡＢを共同被告とする必要があるとする判例がある。その理由は、Ａに勝訴してもＢに敗訴すればＡに勝訴した判決の執行ができないからである（前掲二五頁大判明四一・四・二一民録一四・四三一）。

この理由から、論理必然的に、訴訟共同の必要が導き出されるものでないことは明らかである。すなわち、共同申請は行為の共同を意味するのではなく、双方の申請を意味するに止まるからである。右の考え方が早い時期に否定されたのは当然であった。

(6)　合一確定の必要を肯定する根拠　判例は、種々様々の点に着眼して合一確定の必要を見出しているようである。

(イ)　AからBにBからCに移転した物の所有権の確認をAがBCに対し訴求した場合。「権利関係ノ性質上」BCに対し「同一趣旨ノ判決ヲ為スニ非サレハ訴訟ノ目的ヲ達スルコトヲ得サルモノナルヲ以テ」合一確定の必要があるとする判例がある（前掲【4】大判大八・六・三、BがCのために抵当権を設定した場合につき前掲八頁大判昭一二・六・四）。

Aの主張する経過が正しければ、判例のいうとおりであろう。BCの関係はABの関係を前提としているからである。しかし、Aの主張する経過が正しいとは限らない。

Aの主張する経過が正しいとしても、民事訴訟のたてまえとして次のような制約を受けないわけにはゆかない。民事訴訟では、争において相対立する者の間でだけ相対的にその争が解決されるのが原則である。例えば、AとBの間でだけ、または、AとCの間でだけ争が解決される。そして、民事訴訟では、弁論主義が原則である。そこで、AB間の争の解決とAC間の争の解決とが異なることがありうる。つまり、同一物につきBとの関係ではAの所有権が肯定され、Cとの関係ではAの所有権が否定される、ということがありうる。右のようなことがあっても、訴訟法上は矛盾でない。実体法上は矛盾であろうが。

この理が自覚されると、右の場合に、合一確定の必要は否定される。合一確定の必要を否定した判例【5】【8】が、その理由として、これらの請求は「法律上」「それぞれ独立したもので」あるとしているのは理由のあることである。

なお、抵当権の順位確認請求訴訟においては、他の抵当権者と債務者について合一に確定する必要ありとする判例（前掲【9】大判明三七・四・二〇）は注目に値しよう。

この判決は、同一人が債務者に対しては一番抵当権者で、他の抵当権者に対しては二番抵当権者であるのは事理に適さないという。民法上はそのようなことは許されないかも知れない。しかし、同一人と債務者との関係ではその者が一番抵当権者であることが争われえず、他の抵当権者との関係では、その者が二番抵当権者であることが争われえない、ということが、訴訟法上、なにか牴触を起すであろうか（八一頁四行目以下をみよ）。

（ロ）（イ）に述べたことは登記抹消請求訴訟についてもいえるようにみえる。例えば、AからBにBからCに移転した登記の抹消をAがBCに対し訴求する場合である。

この場合も、最近の判例（【30】【32】なお【29】をみよ）では、BCについて合一確定の必要を否定する理由は、B並びにCに対する請求は「その原因並びに請求は各独立であ」ることにある（BからCのための登記が抵当権であった場合について、前掲二七頁東京控判大九・六・一四は、「各請求ハ彼此権利上ノ関係」がない、といっている）。

この最近の判例の考え方を、筆者は、一つの請求の判決と他の請求の判決とが訴訟法上牴触することはない、という場合を「その原因並びに請求は各独立である」という表現で示したものと理解するのである。

なお、更正登記請求訴訟において、関係被告全員に勝訴しないと更正登記申請ができないという理由で、合一確定の必要を肯定した判例（前掲二八頁大判明四一・五・一八）は注目に値しよう。

（ハ）　民事訴訟のたてまえが、争のいわゆる相対的解決にあるとはいえ、それは、個別的訴訟の原則（訴提起の自由と争のないところに訴訟はないということに由来する）と訴訟において攻撃防禦の機会をもたなかつた者に判決の効力を及ぼさせないという原則に対応するものである。そこで、いつたん共同訴訟になつた以上は、合一確定の必要を認めてもよいのではないか、という発想が生まれるのも、理由のないことではない。

数人に対する更正登記請求訴訟について、「一ノ訴ヲ以テ訴求セル以上ハ」（【33】大判昭九・五・一一新聞三七〇三・一二）という理由で、数人の連帯債権者を原告とする訴訟について、「共同訴訟トシテ裁判所ニ係属シタル以上ハ」【87】という理由で、債務者受益者を被告とする詐害行為取消請求訴訟について、「一旦相手トナリタル以上ハ訴訟ノ終局マテ共者ハ相離ルヘカラサルモノタリ」【117】という理由で、合一確定の必要を肯定した判例があることは、このことを示している。

この考え方の背後には、実体法上の関係において矛盾のない判断をする必要があるという発想（（イ）参照）が在る。例えば、「何トナレハ詐害行為取消ノ訴ニ於テハ権利関係ハ債務者及ヒ之ト行為ヲナシタルモノニアリテハ各異別ニ確定スルコトヲ許サス」【117】という発想である。

しかし、この発想も、直ちには容認するわけにはゆかない。「各異別ニ確定スルコトヲ許サ」ないかどうかが疑問であるからである。合一確定の必要を否定する判例の理由のなかに、「連帯債務ノ場合ニハ其債務者中ノ或者ニ義務アリテ或者ニ義務ナキコトアルヲ以テ」【86】というものや、裁判所が債務者の詐害行為を取消しても「其訴訟ニ干与セサル債務者受益者又ハ転得者ニ対シテハ依然トシテ存立スルコトヲ妨ケ」【119】ないというものがある。

なお、前掲【123】大判昭四・三・一一、同【139】大判大八・一〇・二一、同【132】大判昭四・五・一五、同【142】大判昭八・一〇・一三、同【127】大判大八・一二・八、同【93】最判昭二七・一二・二五をみよ。

このように見てくると、判例のなかには、相対的解決を許すか許さないかの基準を、法律関係が相対的であることが民法上許されているかどうかに、必ずしも求めていないことが見出だされる。すなわち、相対的に解決されることが訴訟法上許されるかどうかを基準としているようにもみえる判例もある【86】。

法律関係が相対的であることを民法上許す場合は、攻撃防禦方法が数人において異別であることを許す。このことが、訴訟上の解決が異別であることを許すことがあるのである。しかし、根本は、やはり、訴訟法上判決の牴触が生ずるかどうかが基準であろう。

（三）そうなると、合一確定の必要を肯定する根拠は他に求めなければならない。

数人が共同してある行為をしなければその効果が生じない場合に、その数人を被告としてその行為をなすべきことを訴求した場合に、合一確定の必要を認めた判例がある。

それは、AがBC間で設定した賃貸借の登記の抹消を訴求する場合であった（前掲一一三頁大判明三六・一〇・二八民録九・一一七六）。行為の共同を根拠とするならば、Aがある行為をするのにBCの承認（という行為）が必要である場合にも同じように考えるであろう（前掲【66】大民聯判明三五・四・二）。

しかし、前述のように、行為の共同が、そこで要求されているのではなく、全員の行為（異時に行なわれることもありうる）

の必要が要求されているのである。このことは、各人につき、別訴で訴求することを許すし、各人につき区々たる判決がなされることを許す。数人が訴訟を共同にしている場合でさえこの理に変りはない。というわけで、田地所有権の移転の許可を申請する行為義務を共同に相続した者に対しその行為を訴求した場合について「各共同訴訟人に対する判決の既判力が法律上牴触するようなことの起り得る場合でない」【81】として合一確定の必要を否定した判例は理由があるのである。

(ホ)　しかし、文字どおり、行為の共同が要求されている場合はどうであろうか。

信託財産に関する数人の受託者の行為、共有者の共有財産に関する処分行為などが例として挙げられる。前者については、信託財産の合有を理由として保存行為でさえも数人の受託者全員の共同を必要とするという判例がある(前掲【82】)。

後者については、訴訟は処分行為か保存行為かが問題とされ、保存行為の場合に合一確定の必要があるかが問題とされた。

共有者を原告とする所有権確認訴訟については、これは保存行為でないとする判例【36】【37】がある。

共有者を原告とする、登記抹消請求訴訟【23】、共有物使用契約無効確認請求訴訟【40】、物の引渡請求訴訟【44】、賃貸借解約共有不動産明渡請求訴訟【47】、は保存行為であるとする判例がある。

これらの場合、判例の多くは共有者の数人が訴訟を共同にした場合に合一確定の必要を肯定する。

その根拠は、ある判例【22】は、「共有ナリトノ事実ニ基ク」からであるといい、ある判例【24】は、

「共有権……ノ全部ニ付キ其円満ナル支配状態ヲ回復スルカ為ニ」であるからといい、ある判例【40】は、「保存行為ハ全共有者ノ為ニ共有者各自ニ於テ之ヲ為スコトヲ認ムル以上」他の共有者に判決の効力が民訴二〇一条二項により及ぶからであるという。

しかし、他の共有者に判決の効力が及ぶことを否定する判例【47】もある。

なお、共有者を被告とする共有建物の収去請求について訴訟共同の必要を肯定し、土地賃料請求については訴訟共同の必要を否定したが合一確定の必要を肯定したある判例【49】は、「別異ノ裁判ヲナスヲ妨ケサルモノナルモ権利関係カ各別ニ確定スヘキ防禦方法ノ顕ハレサル本件ニ於テハ論理上凡テノ共同訴訟人ニ対シ合一ニノミ裁判スヘキ場合ニ属スルヲ以テ」をその理由としている。

(ヘ)　給付訴訟において、給付請求権あるいは給付義務が、数人に共通するあるいは数人に共同である場合がある。その共同の原因が、給付請求権や給付義務の発生原因とは別個独立の場合(例えば、建物共有者が土地を賃借する場合)と、同じものである場合(例えば連帯債務)とある。

古くには、共有であるという点を把えて、あるいは、原因行為が単一であるという点を把えて、あるいは、給付の目的物が単一であるという点を把えて、合一確定の必要を肯定した判例があった。

しかし、債権関係は一人一人の個別的のもので、目的物が単一であっても、行なわれるべき行為が同一であっても、給付ないし作為は一人一人のそれであることが実体法上の関係でもあった。

そこで、右の場合に、合一確定の必要を否定する判例も、少なからず、あったわけである。

すでに触れた共有者の抹消登記請求訴訟を除けば、例えば、前掲【19】【21】【43】【51】。なお【94】参照。

(7)　総括　以上の検討から少しばかり飛躍して判例の動きをまとめるならば、次のことがいえると思われる。権利または法律関係の実体法上の性質をそのまま訴訟共同や合一確定の必要に反映させることを次第に反省し、実体法上相対的でありうることを訴訟法に反映させ、実体法上相対的でない場合でも訴訟法上相対的でありうる場合のあることを認識し、もつて、訴訟法上の諸原則と矛盾しない考え方に近づいて行つた。そのジグザグな過程は、あるひとつの問題についての判例を日附順に追えば明らかである。そしてこの過程は、わが国の学説の発展過程と相対応する。

二　通常共同訴訟の要件

(一)　判例の概観

(1)　「訴訟ノ目的タル権利又ハ義務カ数人ニ付共通ナルトキ」（五九条、旧民訴四八条第一）　具体的にどういう場合がこの要件に該当するのか。判例に示されたところは次のとおりである。

【145】　XがY_1Y_2に対し船舶所有権の確認を訴求した
「船舶ノ如キ不可分ナル同一物ニ対スル権利関係カ共通ナル場合ハ民事訴訟法第四十八条一号ニ該当スル……」（神戸地判大七・一一・五新聞一五三一・二〇、評論八民訴一六六）。

【146】　連帯債務者は民訴四八条一号にいわゆる義務共通の地位に立つ（東京控判明四三・一一・一新聞六九八・二三）。

【147】　主たる債務者と保証人に対する給付訴訟
「保証債務ハ主タル債務ト其運命ヲ共ニシ主タル債務ノ消滅ハ常ニ保証債務ノ消滅ヲ来タスモノニシテ主タル債務ヲ離レテ独リ保証債務ノ存立スルコトナシ」故に義務共通（大判明三五・五・六新聞九〇・二七）。

【148】　主たる債務者と保証人に対する給付訴訟

債務者の債務と連帯保証人の債務とは同一原因に基かないと抗弁するが「保証人ハ主債務者カ其債務ヲ履行セサル場合ニ於テ其履行ヲ為ス可キ責ニ任スルモノナルヲ以テ……義務共通ノ地位ニ立ツ」（東京控判大一〇・三・二八新聞一八五〇・一七）。

【149】約束手形の振出人と裏書人とは訴訟物について義務共通の地位に立つ（東京地判明三四・一〇・七新聞五九・九）。

後述のように、右の場合については、これを同種の原因に基づく同種の義務の場合に該当するとする判例のほうが多い。

【150】約束手形の振出人たる合名会社とその社員とに対する手形金請求

合名会社の債務は手形行為から発生し社員の債務は商法六三条の規定から発生し、発生原因を異にすると抗弁されるけれども「結局原告ノ本訴請求ハ本件手形債権ノ満足ヲ得ルニ在リテ被告三名ノ内何人ニ於テ之ヲ弁済スルモ相互ニ他ノ被告ノ原告ニ対スル債務ハ消滅スヘキ趣旨ト解スヘク従ツテ」義務共通（東京地判大一四・九・一二評論一四民訴四六三）。

これらの場合が右の要件に該当するとしても、数人につき「共通」であることの意味が異なることに気がつくであろう。

(2)　「訴訟ノ目的タル権利又ハ義務カ同一ノ事実上及法律上ノ原因ニ基クトキ」（五九条、旧民訴四八条第二）　具体的にどういう場合がこの要件に該当するのか。判例に示されたところは次のとおりである。

【151】Xが、Y_1に対してはAのY_1に対する請負代金を譲り受けたとして請負代金を訴求し、右代金を譲り受けたのは自分であると争うY_2に対しては、右請負代金債権のXへの帰属の確認を訴求した。

「前者ハ請負契約ニ因ル債権ノ実行ヲ求ムルコトヲ目的トシ後者ハ同一ノ債権ノ確認ヲ求ムルコトヲ目的トシ各請求ノ目的ハ相同シカラサルモ其ノ原因ハ何レモ同一ノ請負契約上ノ債権関係ニ基クモノナルヤ誠ニ

明白ナリ即チ本件ハ同一ナル事実上及ヒ法律上ノ原因ニ基ク請求ヲ訴訟ノ目的トシタルモノ」（大判明三七・一〇・一四民録一〇・一二五一）。

【152】Xが、Y_1に対しては詐欺を原因とする売買登記取消を訴求しY_2に対してはY_1の詐欺に共謀して売買の目的物に設定した仮装抵当権設定取消を訴求した場合、この二つの請求は同一の事実上及び法律上の原因に基づく（大判明三八・五・一九新聞二九三・一二）。

【153】Xが、Y_1に対しては無効の所有権保存登記の抹消を訴求しY_2に対してはY_1を債務者とするY_2の抵当権設定登記の抹消を訴求した場合（大判昭三・四・二五新聞二八九一・一二）。

【154】数人が同一原因に基き同一登録商標の無効審判を求める場合（大判昭三・一〇・三〇民集七・九五一）。

【155】X_1X_2がYの不法行為により同時に名誉を毀損されたことを原因としてそれぞれ同一内容の謝罪広告を訴求した場合（東京控判大六・一二・二四新聞一三六〇・二二）。

【156】合名会社の社員X_1X_2等を一括して除名する決議の無効確認をX_1X_2が訴求する場合（東京控判昭五・七・一九評論一九商法五八九）。

【157】債務者Y_1に対し手形金を訴求し、受益者Y_2に対しY_1Y_2間の売買契約を詐害行為として取消すことを訴求した。

五九条「に所謂訴訟の目的たる権利又は義務が同一の事実上、法律上の原因に基づくときとは、一方の請求たる権利関係の確定が他の請求たる権利関係判定の論理的前提となる場合を含み、しかもかかる関係のある限り各請求が訴の性質を同じくするものたるを要しないと解せられるところ、本件を見るにY_1に対する手形金債権存否の確定はY_2に対する本件不動産、電話加入権譲受行為取消の論理的前提であるから、かかる関係にある両請求を併合提起するも何等違法の筋はない」（東京地判昭三一・六・二八下級民集七・六・一六四九、判時八七・二三四九）。

【158】同一不動産につき所有権を取得したりと主張する者が、右所有権に基いて登記義務者に対し該不動産の所有権移転登記を請求すると同時に、未だ右登記取得前であると雖、右物件を不法占拠している第三者

に対して右所有権に基いてこれが妨害排除を請求することは、民訴五九条前段にいわゆる「同一の事実上及び法律上の原因に基く」場合に該当すると解する。蓋し、両請求は、共に同一不動産に関し、該物件の所有権の取得を主張して、一はこれが所有権の完全な対抗力を得るためのもの、他は原告の取得した所有権を完全なものとして確保するためのもので、両請求の原因は段階的に前後し、何れも該物件の所有権の確定がその要素をなすからである（大阪地決昭三四・六・五ジュリ一八九号一〇九）。

(3)　「訴訟ノ目的タル権利又ハ義務カ同種ニシテ事実上及法律上同種ノ原因ニ基クトキ」（五九条後段、旧民訴四八条第三）

具体的にどういう場合がこの要件に該当するのか。判例に示されたところは次のとおりである。

【159】　金物商Xが同業者Y_1 Y_2に対しそれぞれ売掛代金の支払を訴求する場合（大阪地判昭六・一〇・一三評論二〇民訴六九九）。

【160】　数人に対し不法占有を原因として土地の明渡を訴求する場合は「其ノ性質ニ於テ同種類ナル事実上及ヒ法律上ノ原因ニ基ク同種ナル請求」である（東京控判大七・六・六評論七民訴一八〇）。

【161】　借地関係のない不法占有者に対する明渡請求と賃貸借契約終了後の不法占有者に対する同一土地の明渡請求は「共ニ不法占有ヲ訴ノ原因トナシ同種類ノ請求ヲナセルモノ」（東京控判大二・一二・二八新聞九二〇・二三）。

約束手形の振出人と裏書人に対する手形金請求は同種の事実上及び法律上の原因に基づく同種の義務である。その理由は、

【162】　「手形ヨリ生シタル債務ナル点ニ於テ」（大判明三四・一二・一四民録七・一一・二九、大阪控判明三六・三・三〇新聞一三七・二〇）。

【163】　「約束手形ノ振出ト其裏書譲渡トハ共ニ手形ニ関スル行為ニシテ振出人ノ支払義務ト裏書人ノ償還義務トハ亦共ニ手形上ノ義務」であるから（大判明三五・六・二四民録八・一三三）。

【164】　「為替手形ノ裏書人カ其前者タル最初ノ裏書人及ヒ振出人等ヲ共ニ相手方トシ之ニ対シ償還義務ノ

履行ヲ訴求スルカ如キハ」民訴四八条三号に該当する（東京控判大一二・二・一五新聞二一五四・一九、評論一二民訴一二三）。

【165】「同一ノ手形ニ関スル振出行為ト保証行為トハ固ヨリ別箇ノ行為ナリト雖モ其性質何レモ手形行為ナルカ故ニ同種類ノ行為ナリト謂フ可シ又右振出行為ヨリ生スル債務ト保証行為ヨリ生スル債務トハ法律上均シク手形債務ナルヲ以テ同種類ノ債務ナリト謂フ可シ故ニ本件ノ如ク同一ノ約束手形ニ関スル振出人ト保証人トヲ共同被告ト為シ手形債務ノ履行ヲ請求スル訴訟ハ民事訴訟法第四十八条第三号ニ該当スルヲ以テ之ヲ不適法ノ共同訴訟ト謂フコトヲ得ス」（大判明三九・五・三民録一二・六七九）。

つまり、両請求とも手形債務の履行請求であるからである。

【166】同一の手形に対し署名するときは「振出人トシテ署名スルモ保証人トシテ署名スルモ其行為ノ種類ニ付テハ些ノ経庭アルヲ見ス而シテ各員ニ対スル請求ノ目的物カ其ノ性質ニ於テ同種類ニ属スルコトハ」控訴人も異議がない（大阪控判明三八・一二・二二新聞三三三・八）。

【167】同一専売特許権に関する権利移転契約を原因とし同一特許権に関する登録移転手続を請求する訴訟は「性質ニ於テ」同種の原因に基く同種の請求を目的とするものである（大阪区判大四・三・一新聞一〇二六・二三）。

【168】Y選挙長に対しX_1が石川県金沢市部の衆議院議員選挙の無効を訴求しX_2が石川県郡部の同一選挙の無効を同一の原因（法定の成規の用紙を用いなかつた）に基き訴求する場合（大判大五・一一・二七民録二二・二二四三、旧衆選法一〇八条参照）。

(4)　五九条（旧四八条）に該当しない場合　判例が示すところは次のとおりである。

【169】Y_1に対し借地契約に基く延滞地料の支払を訴求しY_2に対しては不法占拠を原因とする土地明渡並に損害賠償を訴求する場合は「共同訴訟ヲ許スニ足ル可キ関係ナシ」（大阪地判明四五（ワ）二七六裁判年月日不明新聞八〇八・二五）。

【170】Xが、Y_1に対し運送契約解約に基く原状回復義務としての目的物引渡を訴求しY_2に対しては義務履行（どんな義務履行かは不明。請求の原因はY_1に対するのとは別異）としての同一目的物引渡を訴求する場合は「其ノ請求ノ因テ来ル法律上ノ原因ハ各相異ナルヲ以テ」共同訴訟たりえない（東京控判明三九・三・二二新聞三五六・九）。

(5)　主観的予備的併合　いわゆる主観的予備的併合が許されるか。判例は分れている。

【171】　土地所有権の登記名義がXから、買戻約款附売買を原因としてY_1に、Y_1から売買を原因としてY_2に、移転した。Xは、XY_1の売買は仮装で無効、Y_1Y_2の売買においてY_2はこのことにつき悪意であつたとして、Y_1Y_2に対し所有権取得登記の抹消を請求し㈠、買戻を理由としてY_2に対しXえの移転登記を請求し㈡、買戻の無効のときのためにY_1に対し損害賠償を請求した㈢。

㈡の請求と㈢の請求は「いずれも講学上いわゆる主観的予備的請求の併合にあたる。かかる予備的併合を許容すべきか否かについては、積極・消極両説あるが、他人間の訴訟に依存せざるをえない被告の応訴上の著しい不安定、不利益を考えれば原告の保護に偏したかかる訴訟形式は許容せられないものと解するのが相当であり、そして併合せられた主観的予備的請求なるものはこれを分離するときそれ自体としてはいわゆる条件附訴として不適法なものといわねばならない」よつて㈡の請求も㈢の請求も不適法却下（東京高判昭三二・七・一八判決時報八・七・一四二、判タ七三・六四）。

【172】　XがY₁会社の使用人Y_2の不法行為を理由としてY_1Y_2に対し株券の返還及び右不能の場合の損害賠償を請求し、控訴審で訴を変更し、第一次にXY_1間の株式売買委託契約の終了を理由としてY_1に右と同じ請求をし、予備的にY_2の不法行為を理由としてY_1Y_2の連帯賠償義務の履行を訴求した。

取引の相手方が個人か会社かまたは乙か丙か不明な場合が多い。「右の如き場合に、訴の主観的予備的併合が許されるとすれば、原告Xは一挙に正当なる被告がY_1Y_2何れであるかを解決し得るのであるから、訴訟経済の理想に照しても、民事訴訟法第五十九条、第二百二十七条の要件を充す限り訴の主観的予備的併合を認めることが望ましいことと考えられる。（数名の原告の間に主観的予備的併合の関係の存する場合も同様である。）」Y_2が応訴して徒労になる場合はY_2の支出した訴訟費用を原告Xに負担させればよい（広島高判昭三二・一一・二九民集一〇・一〇・五六二、判タ七七・四八、理由は詳細である）。

【173】　XはY_1会社に対し根抵当権設定登記請求の訴を起し、予備的に、右請求が理由がなければその代償

としてXが登記を受け得ないことにより蒙つた損害を賠償すべき旨をY_1会社の取締役たるY_2に対して訴求した。

「……ところで、右のような訴の提起の仕方は普通に訴の主観的予備的併合と称せられる場合に該り、このような訴訟の形態が許されるか否かについては、学説も実務の取扱例も見解が分れ一致しないところであるが、当裁判所では右のような訴の併合の形式は共同訴訟として許容し得ないものと考える。けだし、」共同訴訟人の一人の上訴による移審の効力が他の共同訴訟人に及ばないという原則と第一次の請求と予備的請求のどれかについて上訴があれば両請求とも上訴審で審判の対象となることとは矛盾するし、被告の蒙る応訴上の不利益が大きい（名古屋高判昭三三・四・四判タ八一・六〇、ジュリ一五八・二二一）（これの原審と思われる岐阜地判昭三二・五・二二下級民集八・五・九七五、判時一一七・三二一七は訴の主観的予備的併合を不適法として却下した）。

【174】　XはY_1に対して債務不履行に基づく損害賠償を訴求し、予備的にY_1Y_2の共同不法行為に基づく損害賠償を訴求した。Y_1がXに約束した土地賃借権の譲渡を履行しないのみならず、Y_1Y_2は共謀の上X所有の建物を取こわしたというのである。Y_2に対する請求不適法却下。

「Y_2に対するXの請求は要するにXのY_1に対する債務不履行に基く損害賠償の請求が理由なければ、Y_2においてY_2及びY_1両名の共同不法行為によりXに加えた損害を賠償せよ、というのである。右はいわゆる主観的予備的請求の併合と称せられるものであるが、当裁判所はかかる訴訟形式は許容されないものと解するを相当と考える。けだし、」相手方の応訴上の不利益が大きいし、共同訴訟人の一人の上訴は他の者に対し移審の効力を及ぼさないという原則と矛盾する（東京地判昭三三・一二・二六判タ八九・五七）。

【175】　Xが後にY_1町に合併された石切所村の村長Y_2に貸した金を、Y_1に訴求し、予備的にY_2個人に訴求した。

盛岡地裁は主観的予備的併合の必要性を、詳細な検討をしたあげく、認めつつも、現行法上は許されないとした（盛岡地判昭三五・一・一八下級民集一一・一・五〇）。

【176】　X_1はAから建物を賃借しその一部をYに使用させていた。Yが使用料を支払わないので使用料請求

の訴を起した。しかし、Yが、建物をAから賃借したのはX_1ではなく、X_1を会務管掌者とする釈尊御遺形奉賛会（X_2）であると主張するので、予備的にX_2も原告となりYに使用料を訴求した。

この種の主観的併合をそのまま前提として審理した判例がある（東京地判昭三五・三・二九下級民集一一・六〇五、判タ一〇三・七四）。

(二)　判例の綜合的研究

(1)　五九条前段前半（権利義務共通）　権利義務共通は権利義務単一とは異なる。権利義務の単複は実体法上定められるのではない。実体法上は、ある特定物のAの所有権はただひとつである。その特定物をABCが共有している場合も、共有権そのものはただひとつである。

しかし、判例は、共有者の共有権そのものの確認請求には訴訟共同の必要があるという。これはいわば共有権の単一を意味する。

これにひきかえ、判例は、Aの所有権のBCを被告とする確認請求について訴訟共同の必要を否定する。これはいわば権利主張の複数を意味する。Bに対する所有権の主張とCに対するそれとが別であることを意味する。しかし、所有権の目的物は単一でありその主体も単一である。この目的物の単一であることが権利共通の根拠であるようにみえる。

この意味で権利共通と権利同種とは区別される。権利同種の場合は、ある請求において主張される権利の主体または目的物が他の請求において主張されるそれと異なるが、権利の種類は抽象的に同じである場合である。例えば、AのBに対する所有権確認とCのDに対する所有権確認がそうである。

判例はまた、連帯債務者に対する請求を義務共通の場合に該るとしている。この場合はしかし、実体法上義務は単一でない。連帯債務者は各自がそれぞれ債権者に対し義務を負うからである。しかも、全部的義務を負う。しかし、その一名が債務を完済したときは他の債務も消滅する。この意味で、一の債務と他の債務が共通である。比喩的にいえば、この場合も、義務の目的物（＝給付の目的物）は単一である。

またこの意味で、一名が債務を完済したときは他の債務も消滅するならば、一の債務と他の債務とが発生原因を異にしても、義務共通である。判例が、主たる債務者に対する請求と保証人に対する請求をこの範疇に入れているのは以上の理由からであると思われる。

この意味で、数人の権利義務の間に右のような関係がない場合には、権利義務共通ではない。例えば、数人の居住者に対する家屋明渡請求の場合は義務共通とはいえない。この場合の義務の目的物はいわば明渡行為である。一人が明渡行為をしても他の居住者が明渡行為をしないかぎり明渡は完了しない。したがつて、義務共通であるとはいえない。判例がこのような場合を義務共通の範疇にいれていない（前述【161】【160]）のは、以上の理由からであると思われる。

また、給付の目的物が単一であつても、一の給付行為によつて他の給付行為の必要が無くなるという関係になければ義務共通とはいえない。判例【170】が、同一物の引渡しを異なる二つの原因で訴求する場合を共同訴訟を許さない場合としているのは以上の理由によると思われる。

(2)　五九条前段後半（同一の原因）　判例の結論から次のことがひき出されるように思われる。

数人のまたは数人に対する請求を理由あらしめる権利義務の発生要件事実が単一である場合は同一

の原因に該当する（例えば、一人の一個の加害行為による数人の被害者の損害賠償請求）。

右の場合において、一が給付請求で他が確認請求でも同様である（【151】）。第三者に対する妨害排除請求とその前提としての所有権取得登記請求とは、いずれも、同一不動産に関し所有権の確定を目的とするから、同一の原因の範疇に入れている（【158】）。登記抹消については、所有権保存登記の抹消請求と抵当権設定登記の抹消請求とを同一の原因の範疇に入れている（【153】）。後者の原因が前者で前者の原因が原告の所有権に基づく関係にある。

これと似たことを、手形金を請求し、これを担保する一般財産確保のために詐害行為の取消を請求する場合についても、ある判例【157】は、いつている。

これらの三つの場合を通じて、前提請求が理由があることが、他の請求の適法または理由があることの理由となつていることが注意をひく。

(3)　五九条後段（同種権利同種原因）　これに該当する場合に二通りあるように思われる。ひとつは、請求相互間に牽連関係がある場合である。もうひとつはそれがない場合である。

前者の例は、約束手形の振出人に対する請求と裏書人に対する請求である。単一の約束手形を媒介として両請求は関連しあう。

この場合をしかしなぜ義務共通の範疇に入れないのだろうか。入れた判例【149】もあることはあるが。主債務者と保証人に対する請求と同一には論じられないのであろうか。

また、この場合をなぜ同一の原因の範疇に入れないのであろうか。先ず振出人に対する請求が理由があることが、裏書人に対する請求を理由あらしめる一理由となる、という関係にはないからであろうか。

後者の例は、一人の売主が数人の買主に対し、各自の売掛代金を請求するような場合である。この場合に、二一条の適用の可否が、とくに問題となる。

三　共同訴訟の手続の規整

一　管　轄

二一条との関連をここでとりあげることにする。

共同訴訟に民訴二一条が適用されるかという問題がある。この問題は古くから判例の上でも区々に答えられていた。

(1)　旧民訴の時代　明治三五年、東京地裁は肯定説で大阪地裁は否定説であった。

【177】「凡ソ数人共同被告トシテ訴ヘ得ヘキ場合ニ於テハ其一人ニ就キ土地ノ管轄ヲ有スル裁判所ハ又他ノ人ニ就テモ土地ノ管轄ヲ有ストスルハ我民事訴訟法ノ精神ナリ」（東京地判明三五・三・七新聞八〇・六）。

【178】共同被告$Y_1$$Y_2$は当裁判所管轄内に住所を有しても、「第二章ハ其定マリタル管轄内ニ於テ規定ヲナセルモノニ係リ」四八条は住所を有しない共同被告Y_3の裁判籍を変更するものではなく、Y_3に対しては裁判籍を有しないからY_3に対する訴は却下すべきものである（大阪地判明三五・五・七新聞八九・八）。

大審院は、はじめ、肯定説であった。

【179】（前掲三頁）「……若シ各被告カ其普通裁判籍ヲ異ニスルノ故ヲ以テ共同訴訟ヲ許サヽルモノトセハ其立法ノ趣旨ヲ貫徹スルニ足ラサルヲ以テ第四十八条ノ規定ハ普通裁判籍ニ拘ラス共同訴訟ヲ許スノ趣旨ニ出テタルモノト解スルヲ相当ナリトシ本院従来ノ判例ヲ是認セサルヲ得ス」（大判明四一・九・二五民録一四・九一六）。

この大審院判例以後は肯定説の判例が多い。

例をあげよう。大阪地判年月日不明明四二（レ）六一号（新聞五八四・一六）、東京控判明四三・一一・一（新聞六九八・二三）、大判明四四・一〇・七（民録一七・五三〇）、大阪控判大八・五・一二（新聞一五六六・二五、評論八民訴二三六）、大阪区判大八・一二・一六（新聞一六四七・一六、評論八民訴六一九）、東京控判大一二・二・一五（新聞二一五四・一九、評論一二民訴一二三）。

しかし、否定説の判例がないわけではない。

例をあげよう。神戸地判大七・一一・五（新聞一五三一・二〇、評論八民訴一六九）、東京控判大一二・二・二三（新聞二一五九・二一）。

そうして、ついに、大審院は民事聯合部を開いて為替手形の裏書人で所持人に対し償還義務を履行したものが前者たるY_1 Y_2を被告として償還義務の履行を通常訴訟で（為替訴訟でなく）求めた事案につき次の理由で従来の判例を変更した。

【180】「……裁判所ノ土地ノ管轄ハ裁判籍ニ依リ定マルカ故ニ数人ヲ共同被告トシテ訴ヲ起ス場合ニ於テハ各被告ニ対シ受訴裁判所ノ管轄地域内ニ普通裁判籍若シクハ特別裁判籍ノ存スルコトヲ要スルヲ通則トス。是レ為替訴訟ニ特別ナル法則トシテ特ニ民事訴訟法第四百九十五条第二項中ニ数人ノ為替義務者カ共同ニテ訴ヲ受ク可キトキハ被告ノ各人カ其ノ普通裁判籍ヲ有スル地ノ裁判所各之ヲ管轄スト規定シタルニ徴スルモ亦明ナル所ナリ……」（大民聯判大一二・七・一四民集二・五〇六）。

(2)　現行法の時代　二一条の適用を否定する判例は続いて出た。

例をあげよう。東京区判昭六・二・九（新聞三二五三・一六、評論二〇民訴二二七）、東京控決昭六・八・一二（新聞三三二五・四、評論二〇民訴五七四）、東京地決昭八・一二・一四（評論二三民訴二二一）。

しかし、為替訴訟を廃止したためか、再転して、二一条は通常共同訴訟に適用ありとする判例が現われた（大判昭六・九・一七民集一〇・一一・八八三、大決昭六・九・二五民集一〇・八三九、大判昭八・一一・一六法学三・五・八九）。

【181】　Xは大分県居住の主債務者Aと連帯保証人Bと福岡県居住のYの三名に対し、一個の貸金につき大分区裁に支払命令を申請し、これが発せられたが、AYは異議の申立をした。第一審X勝訴。Yのみ控訴し、管轄違を主張した。控訴棄却。Yは支払命令の申立に二一条の適用を認めたのは違法であると上告した。上告棄却。

「……数人ノ債務者ニ対シ同一裁判所ニ同一ノ支払命令ノ申立ヲ為シタルトキハ、其ノ裁判所所在地ニ普通裁判籍或ハ第九条ノ裁判籍ヲ有セサル債務者ニ対スル申立ハ不適法トシテ却下セラルヘキモノトス然レトモ此ノ場合ニ於テ其ノ申立カ却下セラレスシテ債務者ヨリ支払命令ニ対スル異議ノ申立アリタルトキハ……前示第四三一条ノ規定ハ爾後其ノ適用ヲ受クルコトナキモノトス故ニ前示第二一条ノ適用ニ依リ異議ノ申立ヲ為シタル債務者中ニ其ノ区裁判所又ハ之ヲ管轄スル地方裁判所ノ所在地ニ於テ普通裁判籍又ハ事務所若ハ営業所ヲ有スル者アレバ、債権者ハ異議申立ヲ為シタル総テノ債務者ニ対シ訴訟ノ目的ノ価額ニ従ヒ、区裁判所又ハ地方裁判所ニ訴ヲ提起シタルト同一ノ効力ヲ生スルモノト解スルヲ相当トス……」（大判昭六・九・一七民集一〇・一一・八八三）。

管轄違の支払命令の申立が却下されなかつた場合には、という条件をつけている点に注意を要する。

【182】　為替手形の所持人Xが引受人Y_1に対して手形金支払を受取人Y_2に対して償還請求を求めるためY_1Y_2を共同被告として支払地の東京地裁に訴を提起した。Y_2の債務履行地はその住所地たる京都市であつた。東京地裁はY_2に対する訴を京都地裁に移送した。X抗告。抗告棄却。X再抗告。取消差戻。

「……民事訴訟法第二十一条ニ所謂「一ノ訴ヲ以テ数個ノ請求ヲ為ス場合」トハ単ニ訴ノ客観的併合ノミナ

ラス其ノ主観的併合ノ場合ヲモ包含スルモノト解スルヲ相当トス蓋民事訴訟法第五十九条ニ依ル共同訴訟(所謂主観的併合)ハ当該共同訴訟人ノ数ニ照応スル数個ノ請求ヲ包含シ畢竟数個ノ請求カ一ノ訴ヲ以テ為サルル場合ニ外ナラサルノミナラス右第二十一条ノ規定ハ旧民事訴訟法第百九十一条ノ管轄権ニ関スル規定ヲ緩和スルノ趣旨ニ出テタルモノナレハナリ……」(大決昭六・九・一五民集一〇・八三九)。

すでに、下級裁でも、次のような判例があった。約束手形の所持人が最後の住所を名古屋に有した振出人と住所を大阪に有する裏書人とに対して、大阪地裁に右二人を共同被告として請求した事案につき、二一条は「……即チ主観的訴ノ併合ト共ニ客観的訴ノ併合存スル場合ヲモ包含スルモノト解スヘキモノトス」(大阪控判昭五・七・一四新聞三三一一、評論一九民訴三八二)。

右の大審院の判例に下級審は追随したようである。例えば、大阪地判昭六・一一・二八(新聞三五二五・一五、評論二二民訴一三八)、大阪地判昭一二・一二・二〇(新聞四二二三〇・一二)。

しかし、無制限に二一条の適用を認めてよいか、が反省されたようである。

【183】 二一条の適用がある「従テ例ハ連帯若クハ保証債務関係又ハ同一手形上ノ債務関係ニ立テル者等ヲ共同被告トスル如キ場合ハ何レモ之ヲ包含セシムヘキ法意ナリト解スルヲ妥当トスヘケレハナリ」しかし「相手方相互間ニ何等牽聯関係ナキ全ク別個ノ手形債権ニ付訴求スル本件ノ如キ場合ハ之ヲ包含セシムヘキモノニ非」ず(大決昭九・八・二二新聞三七四六・一一、評論二三民訴三七四。同旨、東京地決昭九・一一・二〇新聞三七八八・一二、評論二四民訴一九)。

【184】 XはY$_1$に金銭請求を、Y$_1$の債務の保証人Y$_2$に保証債務の請求を、Y$_3$等に対し、Y$_1$に代位して、Y$_1$のY$_3$等に対する取引代金の請求を、東京地裁にした。Y$_1$に対する請求の管轄裁判所は東京地裁。Y$_2$の普通裁判籍は大阪。Y$_3$等の普通裁判籍も大阪。Y$_2$Y$_3$等は大阪地裁への移送を求めた。

「民事訴訟法第二一条の規定は、いわゆる主観的訴の併合の場合には、常に適用ありと解すべきではなく、訴訟の目的である債務が同種であるか、或は内容上又は発生原因において何等かの関連ある場合に限定して適用するべきであると解するのを相当とする(昭和九年八月二十二日大審院判決参照)。

……Y₂に対する請求は、Y₁に対する本件訴訟の目的である債務についての保証債務の請求であるから、関連ありと解するのが相当であり、従つてY₂に対する本訴は又東京地方裁判所の管轄に属すると解すべきであり、……しかしながら、（Y₃等）に対する本訴の請求はいずれも、XがY₁に対する本件訴訟の目的となつている債権に基いて、Y₁の（Y₃等）に対する取引代金の請求なのである。故に（Y₃等）に対する訴訟の管轄は、Y₁とY₃等との取引の債権を標準として定むべきで、XのY₁に対する債権を標準として定むべきでない……。Y₁のY₃等に対する取引の債権とXのY₁に対する債権とは、その間に同種又は何等かの関連があるとは認められないから、Y₃等に対する本訴は、民事訴訟法第二一条は適用すべき余地がない……」（東京高決昭二八・六・二九判決時報四・一・三六）。

【185】　X（国）がY₁に澱粉の売買代金を請求し、Y₁から右澱粉の転売を受けたY₂等に、債権者代位権に基づき、Y₁に代位して、転売代金を請求する訴訟を、東京地裁に提起した。東京地裁はY₂等に対する訴を大阪地裁に移送した。Xは抗告した。

「しかしながら、第一、民事訴訟法第二十一条がいわゆる主観的共同訴訟に適用せられる場合は、これらの訴訟物相互間に法律上、または事実上なんらかのけんれん関係がある場合にかぎるのであつて、たんに訴訟の目的たる債務が同種で、事実上、法律上同種の原因にもとづくにすぎない場合はその適用がないものと解すべきであるから、かりにX主張のとおりXの債権と、Y₁のY₂らにたいする債権とがいずれも売掛代金債権であつて、民事訴訟法第五十九条後段にいわゆる同種の債権であつても、同法第二十一条の適用のないことはあきらかといわねばならない。つぎに、第二、XはXがY₁に売りわたしたのと同一デンプンが、Y₁によつてY₂らに転売せられたという事実関係をよりどころとして、これら取引相互間のけんれん性を主張するけれども、デンプン等代替物を目的とする売買は、……不特定物の売買と解せられるから、たまたまその履行として給付されたものが同一物であつた場合にも、これら売買の相互間になんらのけんれん性をみとめないのを相当とする」（東京高決昭三三・一二・二二判時一七六・五三〇）。

前掲【158】大阪地決昭三四・六・五が事案について、民訴五九条前段に該当すると判断し、民訴二一条の規定は、同五九条前段の要件を備え訴訟を併合しうる場合には主観的併合訴訟にも適用がある、といっているのも同じ精神であろう。

【186】 一の訴で、Y_1はＡＢＸに対し二〇万円の約束手形金を、Y_2はＸに対し四八万円の手形金を、名古屋地裁に訴求した。両手形とも支払地は東京都千代田区。ＢＸの住所は東京都。Ａの住所は名古屋市。Ｘは東京地裁に移送することを申立てた。移送申立却下。Ｘ抗告。原決定中Y_2に対する部分を取消しY_2対Ｘの事件を東京地裁に移送。Y_1に対する抗告棄却。

「民事訴訟法第二一条に規定する一の訴を以て数個の請求を為す場合には、訴の客観的併合ばかりでなく、其の主観的併合をも含むものと解する（大審昭和六…年九月二五日…決定、…）。民事訴訟法第五九条による共同訴訟は当該共同訴訟人の数に照応する数箇の請求が一の訴を以て為さるる場合にあたることがあるからである。これを手形債務についていうと、原告甲が同一の手形(イ)上の債務関係に立てる被告丙及び丁を共同被告とする場合原告甲は被告丁に対する請求について第二一条所掲の各条文により管轄権を有する裁判所に被告丙に対する請求について同第二一条所掲の各条文により管轄権を有しなくても一の訴を以て其の訴を提起することができる。併し原告乙が(イ)と別箇の手形(ロ)について被告丙について訴求する際、前記(イ)の手形訴訟の訴状に記載しても裁判所は(イ)と(ロ)との両手形金請求が同法第二一条に規定する一の訴を以て数個の請求を為す場合となして(ロ)の手形金請求について訴の提起を認めることはできない。何故ならば原告甲乙間に何等の牽連関係なく、(イ)と(ロ)の手形は全く別箇のものであるからである。若し(ロ)の手形金請求についても(イ)の手形金請求について前記管轄権を有する裁判所に訴を提起することを許すとすると、原告乙は同甲の(イ)の手形金請求に便乗して管轄の規定適用を免れ、被告丙は原告乙に対し適法に有する管轄の規定の適用を受くる利益を奪われ著しく被告の利益を侵害すること明かであるからである」（名古屋高判昭三七・一・一九民集一五・一・一、判タ一二九・五八）。

(3) 二一条と訴の取下　二一条が共同訴訟に適用があるならば五九条の要件の満足を前提として

Y_1（被告）の普通裁判籍の所在地の管轄裁判所にY_2をも訴求することができる。ところでY_1に対する訴をその後取下げた場合にはその裁判所のY_2の訴訟についての管轄権はどうなるか。

【187】「たとえ後日に至つて原告がY_1に対する訴を取下げたにしても、管轄の適不適は訴提起の時を標準として定まるものであるから、一旦適法に係属したY_2外四名に対する訴が後日Y_1に対する訴の取下によつて不適法となるものではない」（大阪地判昭三〇・一二・二六下級民集六・二七七九）

国と近畿財務局長（大阪市）とを被告として大阪地方裁判所に訴を提起し、後に近畿財務局長に対する訴を取下げた事案につき、同旨、大阪地決昭三三・九・一〇（下級民集九・一八五六）。

(4)　二一条と必要的共同訴訟　必要的共同訴訟については旧法時代に親族会決議無効の訴を提起しようとするものが会員の一部が京都に他の一部が東京に住所を有するので管轄裁判所指定の申請をした事案につき大審院は次の理由で申請を却下している。

【188】「……此ノ如キ共同訴訟ニ対スル土地ノ管轄ハ其ノ共同被告タルヘキ各人ニ付キ裁判籍ノ存スル地ノ各裁判所ヲ以テ管轄裁判所トナシ原告ハソノ一ヲ選択シ得ヘキモノ」（大決昭二・四・二三新聞二七一〇・一〇）。

これは固有必要的共同訴訟に該当する場合である。固有必要的共同訴訟たるべき場合においては二一条の適用を認めないと、管轄の指定を認めないかぎり、訴の提起が不可能になる場合が生ずる。しかし、類似必要的共同訴訟の場合はどうか。右のおそれはない。通常共同訴訟が許される場合と同じように考えることができよう。この点についての判例はみあたらない。

二　共同訴訟の要件の調査

（一）　事件を必要的共同訴訟として手続を進めるべきかどうかは職権で調査して判断する（前掲七四頁大判明三九

・一・一二参照）。

（二）　必要的共同訴訟に該当するか否か、通常共同訴訟の許容の要件が充足されているか否かの判断は何を資料としてなされるか。「其ノ訴訟事件ノ具体的内容ニ依リテ之ヲ定ムヘキモノ」で（前掲【136】大判大三・六・二四）、原告の主張するところを資料としてなされる（【673】大判大六・七・六、大判大八・一二・二六）（訴訟物の特定のために主張されるところを資料とすべきであろう）。

原告の主張するところを資料とする場合、証明されないままの主張で足りるか、証明された主張を必要とするか。後者であることを推測させる判例がある（前掲【99】水戸地土浦支判昭三・九・一九）。

（三）　右の判断の基準時はいつか。この点について直接に判断を示した判例は見あたらない。おそらく、口頭弁論終結時であろう（大判明三九・三・三〇参照）。

必要的共同訴訟に該当するという場合に訴訟共同の要件が充足されているかが問題になる。この問題の判断の基準時はいつか。

【189】（前掲三〇頁）　共有物分割の訴においては「他ノ共有者ノ全員ヲ被告トスルコトヲ要スルモノトス然レトモ此ノ要件ハ実体上ノ請求権ニ関スルモノナルヲ以テ訴訟ノ適法要件ニ属セス私権保護ノ要件ニ属スルモノト解スヘキモノニシテ私権保護要件ノ存否ハ口頭弁論終結当時ヲ標準トシテ之ヲ決スヘキモノトス……」（大判大一二・一二・一七民集二・一二・六八四、同旨大判大一三・一二・二〇民集三・一二・五一六）。

したがつて、訴提起の時には訴訟共同の要件が充足されていても口頭弁論終結の時に充足されていなければ、要件欠缺の場合に該当する（大判明四〇・四・一民録一三・三七九参照）。

逆に訴提起の時には充足されていなくても口頭弁論終結の時に（例えば訴の追加的併合により）充足されておれば足りるということになろう（控訴審での訴の併合が許されるかの問題はのこる）。

（四）　しかし爾後の充足が裁判所の手でなされることは許されるか。裁判所が二個の訴を併合した結果共同訴訟人たるべき全員が共同当事者となるに至った事案につき【189】大判大一二・一二・一七は併合の結果要件を具備するに至ったことを認めている。又七五条による参加によって当事者適格の欠缺が補正されるとする（大判昭九・七・三一民集一三・一七・一四三八）。共同原告たるべきものが七五条の参加をした場合に瑕疵の治癒を認める下級裁の判例もある。水戸地判昭九・七・一二（新聞三七三二）。岐阜地判昭二八・八・二一（下級民集四・八・一一七六）。

【190】　Y村はAに対して租税債権を有していた。が、X_1外一八名はその共有する土地をAに譲渡した。AはX_1外一八名に対し所有権を行使しなかった。YはAに代位してAに対する債権保全のためAの所有権を行使する必要ありとして、右土地につき仮処分申請をした。Yは起訴命令を受け、本案訴訟を起した。ところが、X_1外一八名のうち一人小川締一を共同被告としなかった。X_1等は右訴は固有必要的共同訴訟であるところ、共有者全員を共同被告としていないから不適法であるとし、これを理由として仮処分の取消を申立てた。Yは右の脱落を補正した。

「前記訴状の当事者の表示に、前記小川締一の記載を欠くことは、その記載を脱落したもの……而も、訴状の記載に斯る脱落のある場合には、その補正を為すことが許されるものであると解せられるところ、その補正の為されたことは、右に認定の通りであるから」訴状は形式を完備するに至り、有効で、訴の提起が小川に対してもあったことになる。申立理由なし（長崎地判昭三三・一・三〇判時一四三・四〇六〇）。

しかし、当事者の脱落の補正と当事者の追加とをなんで区別するのであろうか。

（五）　では口頭弁論終結時まではどんな訴訟として手続を進めるのか。この点に直接に触れた判例はみあたらない。おそらく原告の主張が真なりとせばそうなるであろう（固有必要的共同訴訟、類似必要的共同訴訟、通常共同訴訟）ところに従うのであろう。したがつて例えば「初メ必要的共同訴訟トシテ採用スルモ其ノ裁判ノ結果権利関係ハ合一ニ確定スルニ非サル場合」がありうる（前掲一二一頁大判明三九・三・三〇民録一二・四八六参照）（初め通常共同訴訟として採用するもそれを許容すべきでなかつたと判明する場合もありうるであろう）（この場合には、通常共同訴訟としてあるいは単独訴訟として審理することが許されるかの問題があろう）。

（六）　次に要件欠缺の場合の処置はどうか。

(1)　固有必要的共同訴訟の場合において訴訟共同の要件が充足されていない場合はどうか。請求を理由なしとして棄却すべきものとする判例（前掲一二一頁大判明四〇・四・一、【36】大判大五・六・一三、【3】大判大一一・七・一〇、大判昭六・六・二四、【82】大判昭一七・七・七）、請求を理由なしとして却下すべしとする判例（【35】大判大六・一二・二八、【189】大判大一二・一二・一七も同じ考えであると思われる）、請求を理由なしとして排斥すべしとする判例（【64】大判大一〇・七・一八、【124】大判昭七・一二・一四）、訴を不適法として却下すべしとする判例（前掲三〇頁大決昭七・九・一〇、前掲一二三頁大判昭九・七・三一、【2】大判大二・四・二四、大判大二・六・一三も同じ考えであると思われる）がある。

いうまでもなく、この問題は、訴訟共同の要件をどう評価するかにかかつている。そしてそれは訴権をどう理解するかと密接につながつている。

(2)　通常共同訴訟許容の要件（九五）が充足されていない場合はどうか。この理由だけで訴の全部を却下すべきではない（大判大八・一二・一七民録二五・二三二四、大判昭一〇・四・三〇民集一四・一一七五）。「訴ノ併合自体カ不適法ナルニ止マリ併合セラレタル各個ノ訴ハ他ニ訴訟条件ノ欠缺ナキ限リ適法ナリト謂フヘ」きであるからである（前掲大判大八・一二・一七）。そこで各個の訴につき弁論を分離することになる（前掲大八・一二・一七、昭和一〇・四・三〇のほか大判大六・一二・二五民録二三・二二二〇）。職権でできる（一三二条、旧民訴一一八）ことはいうまでもないが（ただし大判大六・一二・二五は「前記要件ノ欠缺ハ当事者カ之ヲ責問アリタル場合ニ始メテ其有無ヲ審査スヘク」といつている）、責問権の行使があつた場合には分離しなければならない（前掲大判昭一〇・四・三〇）。それでは責問権の放棄喪失は認められるか、認められる（前掲大判大六・一二・二五）。一般の訴訟要件は各個の訴について個別的に評価される。通常の共同訴訟においては、一部の訴が管轄違でも全部の訴を却下すべきでない（大判明三五・六・二三新聞一五五・一六、前掲大判大八・一二・一七）。その訴だけを例えば事物管轄違の場合に却下（却下し移送する、旧民訴九）すればよい（前掲大判大八・一二・一七）。このような訴訟要件の欠缺が弁論の分離の結果生じたとしても同様である（前掲大判昭一〇・四・三〇）。したがってまた、一部の訴を取下げることもできる（【169】大阪地判明四五（ワ）二七六裁判年月日不詳新聞八・八・二五。Y_2を共同被告にしたためにY_1に対する訴が不適法であったのがY_2に対する訴の取下により補正されることがある、東京控判大一・九・四新聞八二八・二〇）。その結果残余の訴の管轄の変更を来す場合でも同様である（前掲【169】）。

(3)　必要的共同訴訟において一部の訴につき一般の訴訟要件（訴訟行為の要件をも含めて）が欠缺して補正されない場合はどうか。

固有必要的共同訴訟（嫡出子カツが母こうと戸籍上の弟豊治とを被告として母と弟との間の嫡出親子関係不存在の確認を訴求した事案）において共同訴訟人の一人たる意思無能力者（豊治）の法定代理人（こう）に代理権が欠缺していることが看過された事案につき大審院は判決全部を次の理由で破毀した。

【191】「……上告人豊治ガ上告人トミヱノ実子ニシテこうノ実子ニ非ザルコトハ、上告人トミヱこう及被上告人ノ一致セル陳述ニ依リ明白ナルガ故ニ、縦令戸籍上豊治ガこうノ実子トシテ其ノ家ニ入リタル旨不実ノ記載アリトスルモ、こうノ親権ニ服スベキモノニ非ズ。其ノ他ニこうガ上告人豊治ノ親権者タルコトヲ認ムベキ何等ノ証左ナシ。従テ第一、二審ニ於テ、こうヲ豊治ノ法定代理人トシテ為シタル訴訟手続及判決手続ハ法定代理権欠缺ノ違法アルモノニシテ、本訴ノ如キ必要的共同訴訟ニ在リテハ右ノ違法ハ他ノ上告人等ニモ影響ヲ及ボスベキコト論ヲ俟タズ。然レバ当審ニ於テ選任シタル上告人豊治ノ特別代理人ニ於テ追認ニ依リ右法定代理権ノ欠缺ヲ補正セサル以上……原判決ヲ破毀シ、第一審判決ヲ取消シ本訴ヲ第一審裁判所ニ

差戻スベキモノトス……」（大判昭一五・九・一八民集一九・一九・一六三六）。

請求の当否の審理の結果法定代理権の有無が判明する場合にも、はじめから代理権がなかつたとされる点は注目に値する。代理権の有無が争になつている場合には、特別代理人の選任がはじめから必要であることになろう。しかしその場合、審理の結果豊治がこうの嫡出子だということになつて特別代理人を選任すべきでなかつたとされた場合はどうなるのであろうか。

固有必要的共同訴訟において共同訴訟人の一人につき一般の訴訟要件の欠缺がある場合に訴訟はどうなるかについては二つの考え方が可能である。ひとつは、要件の欠缺があるものの訴は却下されるべきで、しかしそのものが共同訴訟から脱落することは他の共同訴訟人をして当事者適格を失わせることになるから、他のものの訴も却下されるべきこととなるという考え方である。もうひとつは、一人についての要件の欠缺は、全員についての要件の欠缺となるから全員の訴が不適法として却下されるべきこととなるという考え方である。判例がどの考え方の上に立つているかは明らかでない。

類似必要的共同訴訟において（ある村民対他村民の灌漑用水を引くための分水木設置請求）は共同訴訟人中の未成年者の法定代理人が未成年者の成年到達後に相手方の控訴に応ずる訴訟行為をし控訴審がこれを看過して判決をした事案につき大審院はこの代理権欠缺の瑕疵は他の共同訴訟人の訴訟行為に関し違法の点がなければ他の共同訴訟人に対する判決を破毀する理由とならないとした。

【192】「……本件ノ如キハ其権利関係カ同一ニ確定スヘキ訴訟中ノ一ニ属スヘキモノト雖モ其性質ニ於テ共同訴訟人中ノアルモノカ訴訟ヲ進行スル権利ヲ抛棄スルコトアレハ其者ヲ除キ他ノ共同訴訟人ハ其訴訟ヲ

進行スルコトヲ得ヘキモノタリ故ニ……」(大判明三二・九・二七民録五・八・三八)。

ところが同じ類似必要的共同訴訟(ある字の住民対他の字の住民の灌漑用水をひくための置上取払並に水路開放請求訴訟)において共同訴訟人中の未成年者の後見人が親族会の同意をえないで応訴していたことを看過した事案につき大審院は原判決を破毀すべきものとした。

【193】「……訴訟行為ヲ為ス権限ノ欠缺ヨリ来タル法律上ノ効果ハ他ノ共同訴訟ニ対シテモ同一ニ発生スヘキモノナルカ故ニ他ノ共同訴訟人ニ対スル関係ニ於テモ」判決を破毀すべきもの(大判大一〇・五・七民録二七・八八一)。

【194】共同被告の一人が訴訟をなすにつき夫の許可(旧民法一四条)を得ていないのを看過した事案につきこの能力の欠缺の瑕疵は判決全部の破毀の原因となるとした(大判明三四・五・二九民録七・一三七)(地所書入無効確認請求事件というのであるが、事実関係の記載がみられなかったので不明である)。

三　訴訟物の処分

請求の放棄、請求の認諾、和解は訴訟物を当事者がいわば処分する行為である。

(一)　認　諾

(1)　通常共同訴訟

【195】「本件ノ如キ単ナル確認訴訟ニ於テハ」共同被告の一人のなした認諾は「他ノ共同被告ニ対シテハ何等ノ効果ヲ及ホササルモ其ノ被告ニ対シテハ有効ナリト解スヘ」し(東京地判昭八・一二・一六評論二三民訴八五)。

(2)　必要的共同訴訟

【196】帳簿検閲並遺産金引渡請求事件で共同被告人のうち美平だけが認諾をした。「……民事訴訟法第二二九条ニ従ヒ裁判所ハ原判決理由ニ説示スル如ク権利義務合一ニ確定スヘキ性質ノモノナルヲ以テ美平ノミ

ニ対シ認諸判決ヲ与フヘキモノニ非ス」（大判明二九・一二・四民録二・一一・二九）。

【197】土地共有権確認並分割請求事件について、被上告人（被告）外十八名代理人は「上告人申立通リノ判決ヲ求メ上告論旨第一点ニ同意シタルモ前同一ノ理由ニヨリ同第五〇条第三項ニ従ヒ上告論旨ヲ争ヒタルモノト看做ス」（大判大六・四・一八民録二三・七九九、新聞一二八〇）。

（二）和解　和解については必要的共同訴訟の場合について判例がある。

【198】前掲【133】と同一事件「斯ノ如キ必要的共同訴訟ノ場合ニ於テモ共同訴訟人中ノ一人カ訴訟ノ目的物ニ関シ自己ノ処分シ得ヘキ事項ニ付受訴裁判所又ハ受命判事ノ面前ニ於テ相手方ト和解ヲ為シタルトキハ其当事者間ニ効力ヲ生シ従ツテ其者ト相手方トノ間ニ於ケル訴訟ハ終了ニ帰スルモノトス」（前掲大判大一一・四・一九）。

【199】共同訴訟人中の「二、三ノ者ト相手方トノ間ニ裁判上ノ和解ヲ為スモ此ノ和解ハ当然無効ナリトス」（大決昭五・七・一九新聞三一六六・九）。

前者の事案（二人となした契約の無効確認）が類似必要的共同訴訟の第二の場合に（前掲）に該当し後者の事案（親族会決議に対する不服）が固有必要的共同訴訟に該当することは注意されるべきであろう。

【200】固有必要的共同訴訟の場合には本来当事者たるべき者が関与しないで成立した和解は無効で、このものが後日追認をしても適法有効なものとはならない（仙台高判昭三三・四・八下級民集九・四・六二二）。

四　訴訟資料の提出（旧四九・五〇Ⅱ、現六一・六二）

事実上の主張、法律上の主張、証拠の申出によつて訴訟資料が提出される。

（一）主　張

【201】通常共同訴訟の場合「一人ノ被告ニ対スル主張ト他ノ被告ニ対スル主張トノ間ニ矛盾ノ点」があつても「各被告ニ対スル原告ノ個々ノ主張カ夫レ自体ニ於テ矛盾セサル以上ハ」適法である。なんとなれば、

別訴ならば不適法でないのだから（大阪地判年月日不明・明四三（ワ）七一八新聞七一一・二三）。

【202】「各当事者ハ各自独立シテ時効ヲ援用スルコトヲ得ルト同時ニ裁判所ハ其援用シタル当事者ノ直接ニ受クヘキ利益ノ存スル部分ニ限リ時効ニ因リ裁判スルコトヲ得ヘク援用ナキ他ノ当事者ニ関スル部分ニ及ホスコトヲ得サルモノナリト解スルヲ妥当トス」（大判大八・六・二四民録二五・一〇九五）。

すなわち、旧民訴四九条（現六一）の適用が、事実上又は法律上の主張の提出について、なされる場合には、その向けられた相手方との関係においてのみ提出の効力をもつのである。提出されない主張についても審理判断されることはできない。したがつて、一人との関係において提出された主張は他との関係においては訴訟資料ではない。

【203】XはY_1と建物建築請負契約を締結した。契約によれば上棟のときY_1はXに三〇万円支払うべきことになつていた。上棟のときY_1はXの現場監督Y_2に三〇万円を交付した。ところがY_2はXにこれを交付しなかつた。その他種々の経緯があつて、XはY_1に対する右三〇万円請求を含む訴をY_1 Y_2に対して起した。Y_1は右三〇万円は弁済したと主張し、Y_2はY_1から受領した三〇万円は本件請負工事費用に充当したと主張した。このY_2の主張は、XのY_1に対する三〇万円請求の審理の資料たりうるか。

「……Y_2は、Y_1の第三回工事代金三〇万円の支払がXに対する弁済と認められない場合は、当然Y_1から不当利得の主張を受けるのであるから、Y_1の三〇万円の弁済の主張については、Y_1を被参加人とする補助参加人の関係に立つものである。

従つてY_2の前記主張は、Y_1のために判断さるべきものである。……」（東京地判昭三五・一〇・一〇下級民集一一・一〇・二一四〇）。

（二）証拠の申出　証拠の申出については次の判例がある。

【204】増資株金払込を訴求されたY_1 Y_2 Y_3のうち、増資に無関係であるという事実を証するためY_3が訴外人

に発送した私署証書を$Y_1$$Y_2$が提出し、裁判所は$Y_3$の援用をまたず$Y_3$に対する請求の判断の資料にもした事案である。「……必要的共同訴訟ニ非サル場合ニ於テモ其共同訴訟人中一人ノ提出シタル証拠ハ内容カ他ノ共同訴訟人ニ影響ヲ及ホストキニ限リ其援用ヲ俟タスシテ右共同訴訟人ノ為ニ判断ノ資料トナスヲ妨ケサルコト民事訴訟法第二百十七条ノ規定ノ趣旨ヨリ推理シ得ヘキ所ナリトス」（大判大一〇・九・二八新聞一九一一・一七）（この判決は数人に対する損害賠償請求事件につき、大判昭六・九・一一新聞三三一三により引用され踏襲されている）。

つまりAB共同の訴訟においてAがAのために提出した証拠はBに影響ある場合にはBのために提出された効果をも有するのである。心証形成に役立たせてよいということであろう。

では、AはAのために証拠としてBを提出することが許されるか。

【205】「……訴訟ノ当事者ハ当該当事者間ニ於テ訴訟ノ目的タル事実関係ニ付証人トシテ訊問スルヲ得ス故ニ訊問手続ニ対シ当事者カ異議ヲ述ヘタルト否トニ拘ラス其訊問ノ結果ヲ証拠ト為スコトヲ得サルモノナルヲ以テ……共同訴訟ニ於テモ其併合シタル各訴訟ニ於ケル事実カ各独立シ互ニ相関聯スルコトナキ場合（例之民事訴訟法第四十八条第三ノ場合）ニ於テ専ラ他ノ当事者間ニ争点タル事項ニ付共同訴訟人ヲ証人トシテ訊問シ得ルコトアルヘキハ格別其併合シタル訴カ事実上互ニ関聯スルカ為争アル事実カ彼此共通ナル場合ニ於テ此ノ事実ノ有無ニ付共同訴訟人ヲ証人トシテ訊問シ其結果ヲ事実認定ノ資料トスルカ如キハ縦令其ノ訊問ニ際シ相手方カ之ヲ責問セサルトキト雖モ不適法ナルヲ免レス」（大判昭三・四・七新聞二八六六）。

五　心証形成に影響ある行為（旧四九・五〇Ⅲ、現六一・六二）。

一般論としては次のとおりである。

【206】「一般共同訴訟人等カ共同シテ攻撃若クハ防禦ノ方法ヲ提出セス各自独立シテ此等ノ方法ヲ提出シ殊ニ其主張スル所各相異ナル場合ニ在テハ裁判所ハ此等ノ方法ニ対シ各別ニ判断ヲ与ヘサルヘカラス」（大判明三

六・一・二三民録九・四八)。

例えば否認については、通常共同訴訟においては共同訴訟人の一人の否認は他のものの訴訟とは全く無関係であり(【206】大判明三六・一・二三民録九・四八)、一人の是認も他のものの訴訟とは全く無関係である(大判明三六・一二・一八民録九・一四三四、大判大一二・三・九民集二・一四六。いずれも一人が私署証書の成立を認め他の一人がこれを否認した事案である)。必要的共同訴訟においては一人の否認は他の一人が自白をしていても全員が争ったという効果をもたらす(【118】大判明四一・一二・一一民録一四・一二七三、前掲【197】大判大六・四・一八民録二三・七九九参照)。単に一人が自白しただけではその自白は「全員ノ為ニ其ノ効果ヲ発生スルニ由ナキ無効ノモノ」である(東京地判昭一二・七・三一新聞四二〇一・八)。

例えば共同訴訟人の一人の陳述を他の一人が明らかに争わなかった場合については、後者はこれを承認したものとみなすという法則はない(通常共同訴訟につき大判明三三・三・六民録六・三・三六)。

証拠調の結果は共同訴訟人に共通であろう。前にみたところによれば、証拠が共通であるからである。

六 心証の形成

【207】「係争ノ権利関係カ数人ノ当事者ニ対シ合一ニノミ確定スヘキ場合ニ非サル限リハ本件ノ如ク譲受人タル上告人ト債務者吉原新衛間ノ第一審判決ニ於テ債権譲渡ノ事実確定シタレハトテ原審カ連帯保証人タル被上告人ニ対シテ其譲渡ノ虚偽ノ意思表示ナルコトヲ判示スルノ妨ケト為ルヘキモノニ非」ず(大判大四・六・一九民録二一・九九九)。

七 期日の指定・呼出・送達(送達については上訴の項をみよ)

必要的共同訴訟において第一審の共同訴訟人（原告）の一部が控訴した場合に控訴裁判所が残余の共同訴訟人に対し口頭弁論期日の呼出状を発しないで裁判したことを違法として原判決を破毀差戻した判例がある（大判明三九・二・五民録一二・一六五）（被告の場合については、【117】大判明三八・二・一〇民録一一・一五〇）。しかしこの種の違法について責問権の喪失はみとめられる（大判明三六・二・一三民録九・一七〇参照）。

なお、この種の違法があつた場合でも、「判決ノ基本タル最終ノ口頭弁論期日ノ呼出ヲ為シ訴訟ニ参加スヘキ適法ノ機会ヲ与ヘタル以上其前ノ口頭弁論期日ニ於テ送達及呼出手続ニ欠クル所アリトスルモ之カ為適法ナル基本弁論ニ基キ言渡シタル判決ノ効力ニ影響ヲ来サ」ないという旧法時の判例がある（大判大九・一一・四民録二六・一七六七）（現行法の下ではどうなるであろうか。通常共同訴訟の場合はどうであろうか）。

株式会社の発起人等に対する損害賠償請求事件について次の判例がある。

【208】「……共同訴訟ハ総テノ共同訴訟人ニ付キ同一ノ訴訟手続ニ於テ審理ヲ遂クヘキコトヲ原則トシ、……準備手続又ハ口頭弁論ハ共同訴訟人……ニ対シ同一ノ期日ニ於テ施行スヘク、従テ……共同訴訟人ノ一人ヨリ期日指定ノ申出アルモ受命判事又ハ裁判長ハ総テノ当事者ノ為メニ同一ノ準備手続ノ期日又ハ口頭弁論期日ヲ指定スヘキモノナリ。故ニ民訴法第二三八条ノ期間ハ他ノ共同訴訟人等ノ申立ニ因リ為サレタル期日ノ指定ニヨリ中断セラルルモノトス」（大判昭一五・一二・二四新聞四六五九）。

八　期日における懈怠（六一・六二Ⅰ）

必要的共同訴訟においては共同訴訟人の一部が期日を懈怠した場合には旧法では「其懈怠シタル者ハ懈怠セサル者ニ代理ヲ任シタルモノト見做ス」（旧五〇Ⅳ）。この場合「懈怠セサル者カ自身出廷セルト代理人ヲ出廷セシメタルトヲ区別」しない（大判明三六・一〇・五民録九・一〇七〇）。従つて懈怠した共同訴訟人に対しても対席判決をすべきである（【194】大判明三四・五・二九民録七・一二七）。よつて懈怠した共同訴訟人に対する欠席判決は違法である。しかしこの欠席判決（旧二四六）に対し故障の申立（旧二五四）がなく確定した場合においては対席判決を受けた共同訴訟人に対する控訴により開かれた控訴審では欠席判決を受けた共同訴訟人の事件は係属していないからこの控訴裁判所が右欠席判決を破毀し第一審に差戻さないことは正しい（前掲七四頁、大判明四四・一二・八民録一七・七五九）。

続行期日が必要な場合には「懈怠シタル共同訴訟人ニハ其懈怠セサリシ場合ニ於テ為ス可キ総テノ送達及ヒ呼出ヲ為スコトヲ要ス」（旧五〇Ⅳ）。この手続を欠いた場合には判決は違法でその全部が破毀される（【62】大判明三九・六・六民録一二・九三一）。しかし「呼出ナキニ拘ラス敢テ何等ノ異議ヲモ挟マスシテ口頭弁論ニ加ハリシ以上ハ」上告理由とはならない（前頁大判明三六・二・一三民録九・一七〇）。又さらに続行期日が開かれこの期日につき適法な呼出手続がとられた場合には前の期日の呼出の違法は判決の効力に影響しない（旧民訴五〇Ⅳ最後段。前頁大判大九・一一・四）。「懈怠セサル者」に任じた代理（旧法）は何についてであるか。認諾は含まれないが自白は含まれる（東京地判大五・三・一〇新聞一一二二・二七）。

現行法については、出頭共同訴訟人の弁論は全員に利益なものだけが効力を生ずる（大判昭九・五・二三法学三・一一・一二二）。弁論とは何についての弁論か。利益か利益でないかは何を基準として判断するか。問題は残されている。

九　期間の懈怠（旧四九・五〇Ⅳ、現六一・六二）

必要的共同訴訟において共同訴訟人の一部が「期間ヲ懈怠シタルトキハ其懈怠シタル者ハ懈怠セサル者ニ代理ヲ任シタルモノト見做」される（旧五〇Ⅳ）。この「期間ニハ故障期間上訴期間及再審期間ノ如キ総テノ不変期間ヲ包含スルモノト解スヘ」きである（大判大九・五・一三民録二六・六九九）。したがつて上訴期間の懈怠があつても他の共同訴訟人が上訴している限り「上訴期間ハ之ヲ懈怠シタル者ニ対シテモ亦之ヲ格守シタルト同一ノ結果ヲ来シ懈怠者ハ爾後何時ニテモ上級審ノ訴訟手続ニ加ハルコトヲ得ヘク仮令之ニ加ハラサルトキト雖モ訴訟ノ当事者ニ外ナラサルヲ以テ裁判所カ其判決ヲナスニ当リテハ訴訟ノ当事者トシテ之ヲ表示シ且其総員ニ対シ同一趣旨ノ判決ヲ」しなければならない（上同）。もつとも期間の懈怠は各共同訴訟人についてみるべきである。例えば「上訴期間ハ各共同訴訟人ニ対シ判決ノ送達アリタル時ヨリ各別ニ進行スヘキモノ」である（東京控判大一一・六・八新聞二〇三九・二三）。したがつて、送達を受けないものについては期間の懈怠はないから代理を任じたものと看做しえない（大判明三九・七・九民録一二・一一〇〇）。

【209】　七一条の訴訟の場合について

……三当事者は、相互に対立する関係にあるものというべきであるから、同法七一条六二条二項の規定によつて、その一人に対する相手方の訴訟行為は全員に対してその効力を生ずるのであり、当事者の一方の上訴によつて他の二方は被上訴人となるものと解するのが相当である。同法七一条六二条一項の規定により、当事者一方の上訴によつて他の二方のうちの一方が上訴人となり一方が被上訴人となるものと解すべきではない（大阪高判昭三六・二・二八ジュリ二二八号三〇二）。

一〇　弁論の併合・分離（旧一一八・一二〇、現一三二）

共有物分割訴訟について次のような判例がある。

【210】【189】の続き「……両訴ハ其併合前ニ於テ何レモ共有者中ノ或者ヲ被告ト為ササルヲ以テ私権保護要件ヲ具ヘサレトモ之ヲ不適法ト為スコトヲ得ス而シテ裁判所カ両訴ヲ併合シタル結果本件共有物分割ノ訴ニ於テハ共有者全員カ其当事者トナレルヲ以テ其併合ノ訴ハ前記私権保護要件ヲ具備スルニ至リタルモノトナササルヘカラス……」（大判大一二・一二・一七民集二・六八四）。

したがつて当事者の訴の追加的併合により訴訟共同の必要の要件が充足されることがあるであろう。

ところで、親族会決議無効の訴において被告とされなかつた親族会員が民訴七五条により被告の側に参加した場合につき、参加を適法としかも参加の結果被告たる当事者適格についての欠缺の追完を認めた判例がある（大判昭九・七・三一民集一三・一四三八。しかも、この参加に対し異議申立はできないという理由で追完の効力が遡及することを認めている。しかし、参加までに出訴期間が経過した場合には原告の本案敗訴の判決をすべきであるといっている）。

親族会決議不服事件につき第一審裁判所が共同原告の一人(X)の訴を分離し残余の共同原告は共同被告全員との間に裁判上の和解が成立したので訴を取下げたのでXが分離に対する異議を申立てたが却下され控訴院に対する抗告も棄却されて大審院に抗告をした事案につき【199】大決昭五・七・一九（新聞三一六六・九）は分離は当然無効であり分離には不服申立はできないと判示した。

二　中断・中止

必要的共同訴訟において例えば共同訴訟人の一人が死亡した場合訴訟はどうなるか。死亡者が一身専属的な身分上の地位に基づき当事者適格を有していた場合には死亡者には訴訟を承継するものがいないから死亡者の訴訟は消滅しこのことは他の共同訴訟人と相手方との間の訴訟には影響しない（大判明三〇・一一・一二民録三・一一・一二）。

右のような特殊事情がないかぎり死亡者の訴訟は中断する（旧一八七、現二〇八）。ただし死亡者が訴訟代理人によつて訴訟を追行していた場合には中断しない（二一三）。旧法の下では相手方に対する訴訟委任消滅の通知をするまでは訴訟手続は中断しない（旧一八三、大判明三五・四・二）。要するに当該審級の判決の送達は訴訟代理人が（旧法の下では委任消滅の通知をしていないかぎり）これを受けることができ、訴訟委任がその審級にかぎられている場合にはこの時に委任は消滅し中断する（前掲五五頁大判明四四・五・二九民録一七・三四八参照）。この中断の効力は他の共同訴訟人の訴訟についても生ずる（現六二Ⅲ【66】大民聯判明三五・四・二民録八・四・六）（その他同旨の判例多し。大正時代には大判大四・一二・二八民録二一・二二七四。昭和時代には【16】大判昭七・三・七裁判例五民五九）。

中断した訴訟は受継されることが必要である（旧一八八、現二〇八）。中断中に「本案ニ付キ為シタル原告若クハ被告ノ訴訟行為ハ他ノ一方ニ対シ其効力ナシ」（旧一八六Ⅱ）。中断が口頭弁論終結後に生じた場合には判決の言渡をすることはできる（旧一八六Ⅲ、現二一二Ⅰ）。しかし判決の送達は不適法である（【10】大判大二・七・一一民録一九・六六二）。又上訴も不適法である。死者の相続人が死者の名において他の必要的共同訴訟人とともに提起した控訴は不適法である（前掲【66】大判明三五・四・二）。死者の相続人が受継をすることなく自らの名で提起した上告も不適法である（前掲五五頁大判明四四・五・二九）。必要的共同訴訟人の一部が死亡して全員の訴訟が中断している間に相手方が提起した上告は不適法である（【1022】大判明四四・七・八民録一七・四六六、大判大二・七・一一民録一九・六六二）。

中断中の訴訟行為は不適法であるが、責問権の放棄喪失が認められる（大判大七・五・二五民録二四・一〇四七）。

受継は旧法の下では訴訟の係属中は現に係属する裁判所に受継の書面を提出し判決送達後は上訴を受けるべき裁判所におそくとも上訴状とともにこれを提出してする（旧一八七、前掲【66】大判明三五・四・二、大判大四・一二・二八・）。

一三　訴の取下・これに対する同意

通常共同訴訟においては訴の取下は許され一人の訴の取下は他の共同訴訟人の訴訟に影響を及ぼさないことはいうまでもない（前掲【169】大阪地判明四五(ワ)二七六、東京控判大一・九・四）。

類似必要的共同訴訟においても単独の訴の取下は「各共同原告ハ民事訴訟法五〇条ニ定メタル制限ノ下ニ各別ニ訴訟行為ヲナシ得ルカ故ニ」これをなすことができる（【140】大判大一〇・二・一五民録二七・二八九。この判決を大判昭一二・四・九新聞三九七九が引用している）。

【211】（前掲【27】と同一事件）「……いわゆる類似の必要的共同訴訟となるものと解するのが相当である。しからば、右受継後、Sのなした控訴の取下はその効力を生じないが、同人ほか五名のなした訴の取下は有効であつて、同人等は本件の訴訟関係より離脱したものと認める。……本件の判決の効力が訴を取下げた前記六名に及ぶことも亦当然である。」（札幌高函館支判昭三五・二・一六民集一三・三・二四三、判タ一〇七・六〇）。

【212】（前掲【20】と同一事件）「……この場合には一部の被告だけについて訴の取下をすることは許されない」従つて被告のうちの一人を審理から除外して口頭弁論を終結して判決を言渡したのは違法である（東京高判昭三四・二・二二判決時報一〇・二・二八）。

固有必要的共同訴訟においては、訴の取下は共同訴訟人の全員がしなければ不適法でその効力がない（【76】大阪高判昭三二・四・三〇民集一〇・三・一九〇）。共同原告の一人の取下は無効である（【14】札幌高判昭二六・六・二五下級民集二・六・七九二）。「もし誤つてこのような訴の取下を有効と解し残余の共同訴訟人の又は共同訴訟人に対する請求のみについて終局判決をなしたときは上訴を以てこれを争うのほかはない」（同上）。この場合「この終局判決に対して上訴をなしうるものは、この判決において当事者として取扱われたもの、すなわち残余の共同訴訟人及び相手方だけであつて、訴の取下をなした者は訴訟の当事者から除外されているから、単独ででも又は残余の共同訴訟人と共同してでも、上訴をなすこと、したがつてまた附帯上訴をなすことはできない」(同上)。

固有必要的共同訴訟において被告の一人が欠席した期日において原告が被告の一人(ただし欠席した被告ではない)に対する訴を取下げ他の出頭被告の全員がこれに同意してもこの同意の効力は欠席した被告につき効力を生ぜず、「被告ノ一人ニ対スル訴ノ取下ト雖モ既ニ本案ニ付口頭弁論ヲ経タル後ニ於テハ、被告全員ノ同意ヲ得ルニアラサレハ其ノ効力ヲ生」じない(親族会決議取消の訴につき大判昭一四・四・一八民集一八・七・四六〇)。

被告全員の同意があれば被告の一人に対する訴の取下はその効力を有することになろう。そうするとその結果被告の残余のものは固有必要的共同訴訟の場合には被告適格を欠くことになり結局原告のこれらの被告に対する訴はすべて不適法となるというのであろうか。

一三　判　決

通常共同訴訟においては共同訴訟人の一部に対して与えた判決は他の一部に対し効力を有するものでない(行政判大四・六・四新聞一〇三六・三〇)。

必要的共同訴訟においては判決は共同訴訟人の全員に対し合一になされなければならない。従つて一部判決は許されない。一部判決がなされ、しかも、確定した場合はどうか。債権確定訴訟において被告たる異議ある破産債権者のうちの一部につき欠席判決がなされこれが確定した事件につき大判明四四・一二・八(民録一七・七五九前掲七四頁)はそれを取消さなかつた原審を支持したがその効力については触れなかつた。必要的共同被告の一部について認諾判決が確定した事案につき、大判大一二・五・一四（所有権移転登記抹消請求事件。新聞二一四五・一九）は「其確定判決ノ効力ハ之ヲ尊重セサルヘカラス」としたが「本件ノ共同訴訟人ニ対スル判決ヲ劃一ナラシムヘキコトハ法律上不能ニ属スル」という理由で認諾者に対する関係では勝訴した原告に他の共同訴訟人に対する関係で敗訴を言渡した原審判決を違法でないとした。

戸主XがY_1と夫婦Y_2Aとの間の養子縁組の無効をY_1Aを相手方として訴求し勝訴の確定判決を得、ついでY_1Y_2を相手方として訴求した事案につきこのような確定判決のXY_1Y_2に対する効力を否定しY_1Y_2A三者を被告とする必要を肯定した判決がある。

【213】（前掲【110】と同一事件）「……此ノ当事者適格ノ欠缺カ看過セラレ縁組無効ノ本案判決確定スルニ至ランカ其ノ判決ハ当然当該訴訟ノ当事者タリシモノニ付テハ仍効力ヲ有スルモノノ如クナリト雖モ若シ然リトセンカ該判決ハ人訴法二六条一八条一項ノ規定ニ依リ訴訟ニ関与セサリシ夫婦ノ他ノ一方ニ対シテモ亦其ノ効力ヲ及ホシ結局夫婦カ共同シテ為シタル縁組ノ成否ソノモノニ付夫婦各別異ノ結果ヲ招来スル場合ナシトセサルヲ以テ斯カル判決ハ寧ロ現ニ訴訟ニ関与シタル当事者ニ付テモ尚其ノ効力ヲ否定セサルヘカラサルモノトス……」（大判昭一四・八・一〇民集一八・八〇四）。

一四　上訴、その取下

通常共同訴訟においては共同訴訟人の一人の上訴は他のものの訴訟にその効力を及ぼさない（東京控判昭九・一〇・三〇新聞三八〇四・八）。一人についての訴訟手続の違背は他のものの訴訟に影響を及ぼさないから他のものはこれを上告理由とすることはできない（大判大七・五・一一民録二四・九一五）。

必要的共同訴訟においてはその一人に関する訴訟手続の違法は他の共同訴訟人の利害においてその

効力を生ずる（【87】大判大二・三・三民録一九・一一五）。

必要的共同訴訟においては共同訴訟人中一人が上訴したときは他の共同訴訟のために上訴期間徒過の結果が妨げられる（大判明三〇・九・二二民録三・八・二三。前掲七四頁大判明三九・一・一二民録一二・一）。他の共同訴訟人は自ら上訴を提起しない場合でも上訴の当事者である（大判明三〇・九・二二。【117】大判明三八・二・一〇民録一一・一五〇。大判大六・一二・一四新聞一三六九・三〇。大判昭八・一・一四裁判例七民三。【115】大判昭九・四・一九新聞三七〇一・一一。大判昭一一・三・二〇裁判例一〇民六三。前掲八頁大判昭一二・六・四民集一六・七四五。大判昭一三・五・一八法学七・一二・一〇七）。従って、このものにもすべての送達・呼出をしなければならない（前掲三二頁大判大六・一二・一四。前註大判昭一一・三・二〇）。

右の上訴を提起したものがこれを取下げた場合はどうか。上訴を提起しない他の共同訴訟人の有する上訴人の地位をも喪失させる（大判大五・七・一八評論五民訴三二一）。

【214】「……必要的共同訴訟人ノ一人カ上告ヲ提起シタルトキハ之ニ依リテ上告ヲ提起セサル他ノ共同訴訟人カ上告人ノ地位ヲ有スルニ至ルト雖モ這ハ畢竟スルニ共同訴訟人中ノ一人カ提起シタル上告ノ効力ニ他ナラサルヲ以テ其一人カ適法ニ上告ノ取下ヲ為シタルトキハ上告提起ノ効力ヲ消滅セシムルノ結果トシテ当然上告ヲ提起セサル他ノ共同訴訟人ノ有スル上告人ノ地位ヲモ喪失セシムル……」（大判大五・七・一八評論五民訴三二一）。

他の共同訴訟人の上訴により上訴の当事者になった者は上訴の取下をしないかぎり上訴の当事者でありつづける（前掲五五頁、入会権行使地境界確認事件について大判大五・八・二三新聞一二〇〇・二五）。

固有必要的共同訴訟の場合には、口頭弁論前共同訴訟人の一部が控訴取下の意思表示をしてもその効力はない（親族会決議取消控訴事件につき東京控判大五・五・八新聞一一三七）。

共同訴訟人の中一人に対し上訴が提起された場合も同様である（【117】大判明三八・二・一〇）。

地方裁判所判例

区裁判所判例

行政裁判所判例

最高裁判所判例

控訴院判例

高等裁判所判例

判例索引

大審院判例

著者紹介

小山(こやま)　昇(のぼる)　北海道大学教授

総合判例研究叢書　民事訴訟法 (7)

昭和38年 6 月25日　初版第1刷印刷
昭和38年 6 月30日　初版第1刷発行

著作者　小　山　昇

発行者　江　草　四　郎

東京都千代田区神田神保町2ノ17
発行所　株式会社　有　斐　閣
電　話 (331) 0323・0344
振替口座東京370番

大日本法令印刷・稲村製本

総合判例研究叢書 民事訴訟法(7)
(オンデマンド版)

2013年1月15日　発行

著　者　小山　昇
発行者　江草　貞治
発行所　株式会社 有斐閣
〒101-0051　東京都千代田区神田神保町2-17
TEL　03(3264)1314(編集)　03(3265)6811(営業)
URL　http://www.yuhikaku.co.jp/

印刷・製本　株式会社 デジタルパブリッシングサービス
URL　http://www.d-pub.co.jp/

AG499

ISBN4-641-91025-1
Printed in Japan